# DINHEIRO É EMOCIONAL

# TIAGO BRUNET

# DINHEIRO é EMOCIONAL

Saúde emocional para ter paz financeira

Vida

**Editora Vida**
Rua Conde de Sarzedas, 246 — Liberdade
CEP 01512-070 — São Paulo, SP
Tel.: 0 xx 11 2618 7000
atendimento@editoravida.com.br
www.editoravida.com.br
@editora_vida /editoravida

Editor responsável: Gisele Romão da Cruz
Preparação de originais: Sônia Freire Lula Almeida
Revisão de provas: Josemar de Souza Pinto
Projeto gráfico: Claudia Fatel Lino
Diagramação: Carolina do Prado
Capa: Arte Peniel

1. edição: abr. 2018
1ª reimp.: abr. 2018
2ª reimp.: maio 2018
3ª reimp.: out 2018
4ª reimp.: maio 2019
5ª reimp.: dez. 2019

6ª reimp.: jul. 2020
7ª reimp.: out. 2020
8ª reimp.: dez. 2021
9ª reimp.: abr. 2022
10ª reimp.: jul. 2023
11ª reimp.: ago. 2024

**DINHEIRO É EMOCIONAL**
©2018, Tiago Brunet

Todos os direitos desta edição em língua portuguesa são reservados e protegidos por Editora Vida pela Lei 9.610, de 19/02/1998.

É proibida a reprodução desta obra por quaisquer meios (físicos, eletrônicos ou digitais), salvo em breves citações, com indicação da fonte.

■

Exceto em caso de indicação em contrário, todas as citações bíblicas foram extraídas da *Nova Versão Internacional* (NVI) © 1993, 2000, 2011 by International Bible Society, edição publicada por Editora Vida. Todos os direitos reservados.

Todas as citações bíblicas e de terceiros foram adaptadas segundo o Acordo Ortográfico da Língua Portuguesa, assinado em 1990, em vigor desde janeiro de 2009.

■

As opiniões expressas nesta obra refletem o ponto de vista de seus autores e não são necessariamente equivalentes às da Editora Vida ou de sua equipe editorial.

Os nomes das pessoas citadas na obra foram alterados nos casos em que poderia surgir alguma situação embaraçosa.

Todos os grifos são do autor, exceto os indicados.

---

**Dados Internacionais de Catalogação na Publicação (CIP)**
**(Câmara Brasileira do Livro, SP, Brasil)**

---

Brunet, Tiago
   Dinheiro é emocional : saúde emocional para ter paz financeira / Tiago Brunet. -- São Paulo : Editora Vida, 2018.

   ISBN 978-85-3830-372-5
   e-ISBN: 978-65-5584-126-8

   1. Dinheiro 2. Economia 3. Emoções 4. Finanças pessoais 5. Saúde - Promoção 6. Saúde emocional I. Título.

18-13072                                                                      CDD-332.024

**Índice para catálogo sistemático:**
1. Educação financeira e saúde emocional     332.024

# Dedicatória

Dedico este livro aos meus irmãos, Daniel e Marcos.

Dani e Marquinhos, passamos por tanta coisa juntos e superamos todas elas. Este livro é um reflexo da nossa infância e adolescência, que só são memoráveis porque vocês estavam na minha vida.

Sorrimos e choramos. Vivemos com intensidade.

Amo vocês!

# Sumário

*Apresentação* ............................................. 9

*Prefácio* .................................................... 11

*Introdução* ............................................... 15

*Ilustração* ................................................ 21

*Um pouco de história* ............................ 25

**CAPÍTULO 1** – O meu modelo de dinheiro .... 29

**CAPÍTULO 2** – Não deseje o que não é seu .... 45

**CAPÍTULO 3** – As frustrações controlam o seu dinheiro ......................... 55

**CAPÍTULO 4** – Desenhe a sua meta financeira ............................ 69

| | | |
|---|---|---|
| **CAPÍTULO 5** – | Desfrutar do que se tem............ | 77 |
| **CAPÍTULO 6** – | O dinheiro de Jesus e as emoções de Judas....................... | 87 |
| **CAPÍTULO 7** – | Quem serve a quem?................ | 95 |
| **CAPÍTULO 8** – | Decida o que você quer............ | 103 |
| **CAPÍTULO 9** – | Construindo a verdadeira riqueza........................................... | 113 |
| **CAPÍTULO 10** – | Mais planejamento e menos misticismo.................................. | 121 |
| **Conclusão**............................................................. | | 133 |
| **Agradecimentos**................................................. | | 139 |

# Apresentação

Este livro é resultado de uma considerada investigação científica feita durante os estudos doutorais desenvolvidos na Florida Christian University, Orlando, Flórida.

Fundada em 1985, a Florida Christian University é uma instituição de alcance global de ensino superior para estudantes que procuram integrar seus estudos profissionais com a fundamentação e a ética cristãs. O objetivo desta instituição é oferecer alta qualidade no programa de ensino superior com vistas a promover o conhecimento acadêmico e contribuir para o desenvolvimento profissional e pessoal de cada aluno.

A Florida Christian University tem sido reconhecida com a Certificação Ouro (pela Florida Council of Private

Colleges, Inc. — FCPC) e pelo Council of Private Colleges of America, Inc. (CPCA), agências estas que representam faculdades, universidades e seus respectivos membros perante o governo e a agência educacional estadunidense.

Esta obra representa o esforço e a dedicação de um aluno que cursou e foi aprovado conforme os requisitos do programa de Master in Arts of Coaching, da mesma universidade, e que por meio deste deseja tornar públicos seu aprendizado e suas conquistas.

A Florida Christian University espera, com mais essa iniciativa, oferecer a estudantes, profissionais, gestores e técnicos uma ferramenta que contribua para a educação continuada. Por meio desses conhecimentos, agregados agora a suas práticas, pretende-se contribuir ainda mais para a especialização, atualização e o aperfeiçoamento deste campo.

Prof. ANTHONY PORTIGLIATTI, ph.D.,
Presidente e reitor da
Florida Christian University

# Prefácio

Mais que falar sobre este livro, eu gostaria de apresentar a você o autor, pois o conheço como a palma de minha mão.

Tiago e eu nos casamos em 15 de julho de 2005 para viver uma vida simples, mas cheia de sonhos.

Sonhos estes que demoraram a chegar.

Com o passar dos anos, fui percebendo que o Tiago era "sem controle" tanto nas emoções como na vida financeira. Ele carregava feridas do passado, era frustrado pelo que não tinha e às vezes se comparava com outras pessoas.

Apesar de nada disso ser explícito, eu estava bem ali, ao lado dele, me dando conta das coisas que ninguém mais percebia. Eu me sentia insegura, mas não tinha conhecimento suficiente na época para ajudá-lo a lutar contra aquilo. Minha reação era orar!

Ele tentava manter um padrão de vida, às vezes apenas para agradar pessoas que sequer gostavam dele. As privações pelas quais ele passou na infância devastaram sua inocência sobre esse assunto, e ganhar dinheiro era uma questão de sentir-se aceito no caso dele.

O Tiago via o valor total de um produto, mas nunca se atinha aos pormenores. Queria comprar algo porque podia financiar, mas não pensava nos custos extras que a aquisição traria. Era nota zero em planejamento e administração. Por ter temperamento dominante — o que dificultava ainda mais todo o processo —, meu esposo não escutava ninguém. Os graus comparativos da infância levaram o Tiago gastar o que não tinha para sentir-se melhor. Ele, como filho de oficial superior da Marinha e pastor evangélico que possuía muitos contatos e influência, era exposto a grandes patamares. Mas sua vida real era outra.

Eu, por exemplo, sempre fui de família simples e com recursos financeiros limitadíssimos. No entanto, eu não tinha graus comparativos. Quando casei, tudo parecia melhor do que antes. Meu marido, contudo, era o ansioso e parecia que sempre lhe faltava algo.

Tiago sempre foi excelente em tudo, muito trabalhador e nunca teve problema em doar! Mas o vazio que carregava na alma era tão grande que sugava todas as nossas oportunidades financeiras. Ele comprava confiando em entradas que não sabia se existiriam. As dívidas eram inevitáveis.

Mas, enfim, a transformação chegou!

Ela não veio com uma experiência espiritual, nem com uma consulta com um guru das finanças. Veio com a nossa quebra financeira. Foi arrasador o que passamos!

Logo na primeira semana me dei conta de que algo estava mudando. As orações do Tiago estavam diferentes, seu orgulho estava destruído, suas motivações estavam purificadas. Eu não o via mais querendo dinheiro, mas desejoso de mudar de vida para sempre. Ele estava como quem não tem nada a perder! Começou a aliviar a sua bagagem emocional, reconheceu seus erros, chorou em meu colo, rasgou o seu coração.

Ele estava radical em suas decisões. Não queria viver nunca mais o que estava vivendo com nossa família naquele momento. Foi assim que ele descobriu seu propósito de vida e se "viciou" em ajudar pessoas. Começou a ler tudo sobre finanças e saúde emocional. Começou a buscar mentoria com "os grandes" da área. Sempre admirei essa capacidade que ele tem de se refazer, de ampliar-se em meio ao caos.

Nessa fase, ele começou a viajar (ainda que com dinheiro emprestado) para juntar-se a pessoas que poderiam levá-lo para outro nível. Ele foi incansável! Correu, correu e se superou.

Este livro é o reflexo de nove meses de meditação, estudos e pesquisas sobre a ligação da saúde emocional com a paz financeira. Tiago sempre, sempre, sempre foi um homem de fé. Essa quebra financeira da empresa que fundamos anos atrás o fez ver que até a fé tem limites se não for inteligente. Foi então que sua atenção e seus estudos se voltaram para a vida emocional.

Ele descobriu que essa área controlava tudo. Investiu muito para aprender com profundidade sobre o assunto. Tiago recebeu tanto que começou a transbordar esse conhecimento para o Brasil e outros países.

Hoje vivemos exatamente a proposta desta obra em nossa família. Temos saúde emocional para desfrutarmos de paz e prosperidade financeira. Jamais imaginei viver o que hoje estamos vivendo na vida financeira.

Prepare-se, pois este livro foi escrito com lágrimas e coração, para que ninguém tenha de passar pelo que passamos. Espero que o próximo nível esteja esperando você no fim destas páginas.

JEANINE BRUNET

# Introdução

As pessoas imaginam que o dinheiro está relacionado à economia do país, ao índice de emprego, ao talento para os negócios ou às oportunidades da vida. Apesar de concordar que, indiretamente, todos esses fatores influenciem a nossa vida financeira, o ponto crucial deste livro são as emoções. Elas são o fator determinante do que significa dinheiro para você e de como você o usa.

Sim, caríssimo leitor, o dinheiro está relacionado ao universo emocional. Foi a confusão emocional de Judas que o fez trair Jesus, não o valor das 30 moedas de prata.

No que gastamos e como gastamos, onde investimos, quanto economizamos, o que desejamos, o que sonhamos e os problemas financeiros que assumimos — tudo isso está intimamente relacionado às emoções e aos sentimentos do ser humano.

Analisando profundamente as estruturas filosóficas e as relações sociais do mundo atual, chegamos à conclusão de que nunca na História fomos tão desequilibrados emocionalmente, e em tudo isso há um interesse financeiro. Em geral, a pessoa não se realiza ou se sente recompensado se não o for materialmente.

Isso tem afetado em larga escala as finanças de indivíduos, famílias e de cidades inteiras. Países quebraram nos últimos anos! Hoje, temos diante de nós a geração mais endividada da História. Mais do que isso, estudos mostram que 65% dos casamentos que terminaram em divórcio nos últimos vinte anos tiveram como estopim problemas financeiros. Pessoas abandonaram antigos e verdadeiros amigos, filhos mataram os pais, pais abandonaram os filhos.

O mundo entrou em colapso por causa de um pedaço de papel chamado dinheiro.

Quando Suzane von Richthofen com seu namorado e o irmão deste mataram os pais dela a marteladas, em 2002, a mídia brasileira noticiou que a motivação havia sido puramente financeira. A herança estava em jogo. Analise esse crime minuciosamente e você vai concluir que foi um caso mais emocional que financeiro. Todos chegaram a essa conclusão. Não era apenas o dinheiro

## Introdução

que Suzane queria, mas, sim, a "liberdade" para sentir-se bem e realizar-se.

Emoções e sentimentos fazem parte do que os cientistas chamam de MENTE e os teólogos compreendem por ALMA.

Tudo que sofremos na infância, as privações da juventude e os desgastes familiares nos levaram a criar um padrão do que seja o dinheiro. O dinheiro não é dinheiro; trata-se, porém, da representação daquilo que ameniza (ainda que temporariamente) as nossas mazelas emocionais. Por isso, muitos brasileiros compram o carro que não podem, mas que querem ter, só para mostrar a todos suas conquistas, suprindo assim, talvez, um complexo de inferioridade.

Como sempre, o dinheiro vem sendo usado para suprir as nossas necessidades emocionais!

Na verdade, ninguém quer dinheiro. Dinheiro é papel. Todos querem a segurança que o dinheiro pode dar. As pessoas querem aquilo que o capital pode comprar, os amigos que ele traz, as viagens que ele proporciona.

Seria esse o motivo de tanta desarmonia emocional? As pessoas não sabem quem são nem o que querem, por isso põem toda a sua esperança de felicidade e realização no dinheiro? Tenho sonhado com uma geração saudável financeiramente, pois, apesar de existirem outras áreas primordiais para que uma pessoa seja feliz, o dinheiro, no mundo capitalista de hoje, é uma fonte de realização, pois representa a concretização de sonhos e projetos. Nas mãos certas, o dinheiro é uma arma poderosa para desenvolvermos indivíduos, famílias e cidades. Nas mãos certas, serve para criarmos um mundo melhor.

Ao nos referirmos a dinheiro, não queremos dizer quantidade, bens ou riquezas. Antes, trata-se de tudo o que você precisa para cumprir o seu propósito neste mundo. Isso, sim, o fará sentir-se feliz e realizado. Isso é prosperidade!

Se estiver emocionalmente debilitado, o ser humano é capaz de gastar tudo o que tem em apenas um dia de jogo em cassinos. Ele pode gastar o pagamento do mês com uma prostituta, pode investir todas as economias em um negócio que jamais sairá do papel. Pode estourar o limite do cartão de crédito (um dinheiro de que ele não dispõe no momento) para comprar um produto que só usará uma vez na vida, e, como sempre, serve apenas para tapar o buraco emocional que como ser humano pode ter.

Se o padrão de dinheiro está relacionado às emoções, primeiro precisamos estar convictos de que somos saudáveis emocionalmente, para depois pensar em ganhar e administrar riquezas.

O dinheiro levou a culpa de tragédias familiares, a queda de nações, a traições corporativas e a destruição da vida de muitas pessoas. O meu desafio nesta obra é levar você a refletir que o dinheiro não é nada sem uma mente que o controle.

O dinheiro é um ótimo servo e um péssimo senhor.

O problema ou a solução está em nós!

## Inteligência bíblica

Acredito firmemente que devemos desenvolver as múltiplas inteligências: a inteligência emocional, a financeira, a política e a bíblica, que são fundamentais para o equilíbrio da humanidade.

A educação bíblica, neste caso, é o nosso GPS para a estrada esburacada que é a vida. Bíblia não é religião. É a fonte de toda sabedoria e inteligência. Literalmente, um manual de instruções para a vida. Conecte-se a ela e, independentemente de sua religião ou crença, estará preparado para prosperar.

Esta obra apega-se fortemente ao texto de 3João 2: "Amado, oro para que você tenha boa saúde e tudo corra bem, assim como vai bem a sua alma". Trata-se de uma prova milenar de que, se você não é próspero na alma primeiro (emoções, sentimentos, intelecto, vontades), JAMAIS será próspero nas demais áreas.

Concentre-se em estar 100% internamente saciado e, em pouco tempo, o externo será um reflexo disso.

Vamos adiante!

# Ilustração

## O pescador

Havia um simples pescador no nordeste brasileiro que vivia, como muitos de seus conterrâneos, à beira-mar com a família. Seus filhos iam à escola pela manhã e à tarde o ajudavam com o barco de pesca.

Senhor Antônio era conhecido por aquelas bandas por ser um exímio selecionador de peixes e intérprete dos sinais que vinham do mar. Ele pescava em grande quantidade por saber encontrar as melhores regiões e selecionava cada peixe conforme o tipo e qualidade.

Certa vez, um megaempresário que vivia uma estafa fora do comum escolheu o Nordeste para descansar por dois dias. Caminhando pela paradisíaca praia, encontrou o senhor Antônio. Ficou analisando como ele era bom na quantidade e na qualidade do que pescava.

Um menino que vivia pelo cais lhe contou algumas coisas sobre o pescador. E o homem notou que com apenas um barquinho sem estrutura conseguia vender até 150 peixes em um só dia. E mais: os melhores peixes já eram pescados encomendados por alguns restaurantes da cidade, contou o menino.

O megaempresário ficou curioso, interessado naquela história. Ele se aproximou do senhor Antônio e disse:

— Olá, homem do mar! Estava reparando no seu trabalho. Parabéns! O senhor reparou que pesca 150 peixes por dia?

— É claro — sorriu o senhor Antônio.

— Sabe... eu sou um grande homem de negócios, já levantei e dirigi muitas multinacionais. Estou aqui, inclusive, para me livrar do estresse e estafa de tanto trabalho. Sabe como é, né? Por isso, estou aqui desfrutando deste paraíso para ver se descanso um pouco. Mas estava observando o senhor. Eu gostaria de lhe dar uma consultoria de graça — disse o empresário.

O pescador parou de desenrolar a rede por uns segundos e levantou a cabeça:

— Por que o senhor não junta o lucro de três meses da venda dos 150 peixes diários e compra o segundo barco? Assim, o senhor poderá treinar mais um pescador e terá 300 peixes diariamente. Em mais três meses, haverá recursos suficientes para comprar mais um barco. Em um ano, o senhor terá a maior frota de barcos desta região e pescará mais de mil peixes todos os dias — explicou.

O simples pescador perguntou:

— E depois disso?

— Depois? Depois disso, o senhor pode abrir uma cooperativa e futuramente até abrir capital na Bolsa. Podemos até sonhar em vender a empresa para uma multinacional. Com alguns anos de trabalho, o senhor poderá se tornar multimilionário.

O pescador insistiu:

— E depois disso?

— Como assim, homem do mar? — questiona o rico empresário. — Depois disso, o senhor poderá vir morar na praia, comer nos melhores restaurantes, ser feliz com a sua família e aproveitar o melhor desta terra.

O senhor Antônio sorri e diz:

— Moço da capital, isto é justamente o que tenho hoje.

# Um pouco de história

## A origem do dinheiro[1]

A história da civilização conta que o homem primitivo procurava se defender do frio e da fome. Daí, buscava abrigo em cavernas. Naqueles tempos tão remotos, o homem se alimentava de frutos silvestres e do que conseguia caçar ou pescar.

Ao longo dos séculos, com o desenvolvimento da inteligência, a espécie humana passou a sentir necessidade de ter mais conforto (caverna nunca mais!) e começou a reparar em seus semelhantes.

---

1 Fonte: GONÇALVES, Cleber Baptista. **Casa da Moeda do Brasil:** 290 anos de História. Rio de Janeiro: Casa da Moeda do Brasil, [1984?].

Como decorrência das necessidades individuais, surgiram as trocas, um sistema de troca direta, que durou por vários séculos, dando origem ao surgimento de vocábulos como "salário", o pagamento feito através de certa quantidade de sal; "pecúnia", do latim *pecus*, que significa rebanho (gado), ou *peculium*, relativo ao gado miúdo (ovelha ou cabrito).

As primeiras moedas, tais como conhecemos hoje, peças que representavam valores, geralmente em metal, surgiram na Lídia (atual Turquia), no século VII a.C.

As características que se desejava ressaltar eram transportadas para as peças através da pancada de um objeto pesado (martelo) em cunhos primitivos. Esse foi o surgimento da cunhagem a martelo, na qual os signos monetários eram valorizados também pela nobreza dos metais empregados, tais como o ouro e a prata.

Embora a evolução dos tempos tenha levado à substituição do ouro e da prata por metais menos raros ou suas ligas, preservou-se, com o passar dos séculos, a associação dos atributos de beleza e expressão cultural ao valor das moedas, que, quase sempre, na atualidade, apresentam figuras representativas da história, da cultura, das riquezas e do poder das sociedades.

A necessidade de guardar as moedas em segurança deu surgimento aos bancos. Os negociantes de ouro e prata, por terem cofres e guardas a seu serviço, passaram a aceitar a responsabilidade de cuidar do dinheiro de seus clientes e a dar recibos escritos das quantias guardadas.

Esses recibos (então conhecidos como *goldsmith's notes*) passaram, com o tempo, a servir como meio de pagamento por seus portadores, por serem mais seguros de portar do que o dinheiro vivo. Ou seja: com aquele pedaço de papel, a pessoa provava que tinha dinheiro.

Desse modo, surgiram as primeiras cédulas de papel-moeda, ou cédulas de banco; ao mesmo tempo que essa guarda dos valores em espécie dava origem às instituições bancárias.

Os primeiros bancos oficialmente reconhecidos surgiram, respectivamente, na Suécia, em 1656; na Inglaterra, em 1694; na França, em 1700; e no Brasil, em 1808.

A palavra *bank* tem origem italiana, "banco", peça de madeira que os comerciantes de valores oriundos da Itália e estabelecidos em Londres usavam para operar seus negócios no mercado público londrino.

# CAPÍTULO 1

## O meu modelo de dinheiro

> O dinheiro não é a coisa mais importante da vida. Mas afeta todas as coisas que são importantes.
> — Robert Kiyosaki

Assim que me dei a entender por gente, o dinheiro começou a fazer parte das minhas dores e felicidades. Não importa se a sua infância foi abastada ou cheia de privações. De alguma forma, o uso do dinheiro forneceu-lhe um modelo e você o internalizou. Sem perceber, os acontecimentos da nossa vida nos impuseram um código de normas, atitudes e reações. Ficamos encarcerados nele.

Desde os tempos mais remotos, o dinheiro é motivo de alegrias e tristezas; ele, por si só, já é algo contraditório. Pode dar esperança e, ao mesmo tempo, pode retirá-la.

Na minha infância e adolescência, passei por experiências relacionadas ao dinheiro que refletiram nas minhas ações e reações na fase adulta.

Apesar de o meu pai ter tido uma carreira militar bem-sucedida, não tínhamos uma vida abastada. Somos três irmãos, e a inteligência financeira não era algo conhecido na nossa família. Portanto, não podíamos esperar muita coisa. Os meus pais se esforçavam para colocar os meus irmãos e eu nos melhores colégios, esforçavam-se para que tivéssemos acesso a cursos extracurriculares (como os de inglês e informática). Em contrapartida, não tínhamos um bom carro, por exemplo.

Por esse motivo, embora fôssemos para uma escola de classe média alta, na qual alguns alunos chegavam até de motorista particular, nós chegávamos de "chevetinho" vermelho. Hoje dou risadas de algo que costumava acontecer na minha adolescência: eu entrava no carro correndo para nenhum amigo me ver e, já dentro do veículo, cobria a cabeça com a camisa para não ser reconhecido na rua do colégio. Isso não tinha a ver com pobreza ou com grandes humilhações. Não passávamos necessidade alguma. Mas o simples fato de não ter o que os outros tinham levava-me a um cárcere emocional que ia tomando conta da minha mente e impondo rígidos limites e complexos. O problema sempre tem o tamanho que nós imaginamos ter. Em se tratando de infância e adolescência, tudo se potencializa.

Esses acontecimentos "sem importância", na verdade, influenciam como vamos administrar o dinheiro no futuro. É criado um modelo mental que revela o que significa dinheiro para nós. É bem provável que todo o nosso orçamento na fase adulta seja gasto com o objetivo de não passarmos mais por situações semelhantes às da infância, da adolescência ou até mesmo eventualidades que passamos já na fase adulta. Logicamente, há exceções para essa afirmação. Para os que tiveram uma infância abastada, o mesmo acontece de forma invertida. Quando crescem, perdem o sentido de valor que o dinheiro tem. Certamente, há exceções nesses casos também.

Quando abri a minha primeira empresa, depois de passar pelas dificuldades a que todo empreendedor está sujeito no início, comecei a ganhar dinheiro. E foi aí que tudo começou... É nesse momento que o nosso modelo de dinheiro se revela.

Em apenas três meses "faturando", tentei viver tudo aquilo de que fui privado durante a vida. Queria viajar para todos os lugares, trocar o carro nacional por um importado, comer em restaurantes comidas cujos nomes desconhecia, mas que eram caras. Queria mostrar para todos que, enfim, eu tinha vencido.

Finalmente era "livre" e nunca mais seria envergonhado como antes.

Triste ilusão!

Quando não temos excelência emocional, gastar dinheiro significa apenas tentar reparar a dor do passado. Só que, na verdade, esse pedaço de papel possui grande valor, mas não tem o poder de apagar o que vivemos. Dessa forma, a decepção é inevitável.

O rei Salomão, um célebre governante de Israel (1000 a.C.), foi o homem mais rico que já viveu na terra. Historiadores, religiosos e teólogos concordam com essa afirmação. Em um de seus últimos escritos, o livro de Eclesiastes, "O pregador" como era conhecido na nação dos judeus, deixou-nos algumas dicas sobre dinheiro.

Eclesiastes 7.12 diz: "A sabedoria oferece proteção, como o faz o dinheiro, mas a vantagem do conhecimento é esta: a sabedoria preserva a vida de quem a possui".

A característica da sabedoria, que é o princípio da excelência emocional, é ter vida. Quem só tem dinheiro, tem uma espécie de proteção. No entanto, com muitos limites. Com sabedoria e consequentemente com inteligência emocional, temos proteção e vida!

O que pode ser melhor que isso? Imagine a sua família e os seus negócios desfrutando desses dois ingredientes da felicidade!

## O meu modelo de dinheiro

A forma de ganhar dinheiro e administrá-lo, de investir, de poupar, de negociar e de opinar sobre dinheiro são todas questões relacionadas ao que você viveu na infância e adolescência, e com as quais aprendeu a sobreviver. Somos reflexos das situações boas ou ruins que passamos.

Muitos reeditam as "janelas traumáticas" da memória e conseguem, apesar de uma infância de profunda privação e vergonha, vencer na família, nos negócios e também socialmente.

Outros são sufocados pelos medos, traumas, decepções e dificuldades do passado e vivem com eternos lamentos e desculpas para a situação em que vivem atualmente.

Recentemente, vi as fotos de um luxuoso restaurante dentro de uma caverna em Bari, Itália. Fiquei impressionado com o que via. Era algo simplesmente fantástico!

Ao mesmo tempo pensei: *Para quem tem criatividade, uma caverna se transforma em restaurante de luxo.* Mas sempre há pessoas que reclamam o tempo todo de onde estão em vez de usarem a criatividade e mudarem a realidade a partir do que têm.

Mas preste atenção: mesmo quem teve uma infância abastada cria seus modelos de dinheiro, e estes nem sempre são positivos. Muitos, por exemplo, casam-se e tratam a esposa superficialmente, como se fosse um negócio.

Outros cometem sérios delitos e pensam que sua condição financeira o livrará da prisão. SIM, muitas vezes os livra da prisão física, mas jamais da emocional.

Quando o dinheiro vira o nosso senhor, perdemos as melhores coisas que podemos ter nesta vida, pois o dinheiro não pode comprar o que realmente nos completa.

As emoções humanas não são geradas pelos acontecimentos ao longo de sua caminhada na terra, e sim por como você os interpreta. O valor que você deu a cada situação ou desejo determinou o seu modelo mental.

> O que você acredita determina o que você sente.

Eu acreditava que, se pudesse ganhar mais dinheiro, poderia comprar prestígio e ser aceito, como era o meu desejo. Este é um sentimento que está presente em muitos de nós porque necessitamos ser aceitos.

Quando a minha condição financeira melhorou, percebi que isso não comprava amigos, e sim companhias de curta duração. Comprava um colchão ótimo, mas não o sono. Poderia até chegar a andar com príncipes, mas não me sentir nobre.

Então compreendi, em definitivo, que o dinheiro estava relacionado a questões emocionais.

## O meu modelo de dinheiro

Certa vez, decidi como diretor da empresa de turismo que fundei em 2005 que deveríamos investir pesado em comerciais na TV aberta do Brasil. Não fiz nenhuma pesquisa para saber qual era o público-alvo do produto, não avaliei o mercado, não pedi conselhos. Apenas queria satisfazer um desejo oculto de ser visto, de mostrar que estava vencendo. Traí a minha própria empresa, o meu próprio sonho, tomando uma decisão tão longe do nosso propósito.

O resultado? Um gasto astronômico para vender somente dois pacotes turísticos em um ano inteiro de comerciais. Ficamos quase três anos pagando a dívida.

Um sentimento fora de ordem tem o poder de frustrar as suas finanças e de acabar com os seus sonhos!

O dinheiro é tão emocional que realmente achamos que estamos seguros e acima de todos se tivermos algum no bolso. O contrário também é verdade. Quando não temos nenhum recurso, sentimo-nos inseguros e o menor dos homens. Quando o dinheiro governa os nossos sentimentos, os nossos valores se invertem.

O dinheiro é um ótimo servo, mas um péssimo senhor.

Este livro não trata de apontar o que está certo ou errado. Mas é uma costura de descobertas, feita com muita dedicação, que podem auxiliar você hoje e no seu dia a dia.

Planejamos aqui um futuro de real prosperidade com base em que, se não formos ricos emocionalmente, o dinheiro físico nunca terá o valor necessário para nos suprir e satisfazer.

Como preparação para uma série de palestras e um trabalho missionário na Índia, que fiz em 2014, assisti ao documentário da vida de Madre Teresa de Calcutá. Sua obra social naquela nação foi impactante. Uma senhorinha franzina conseguiu revolucionar um dos mais populosos países do mundo, cuja população é de mais de 1 bilhão de habitantes. O dinheiro nunca é a motivação para quem tem um propósito de vida. Mas ele é inevitável quando você acerta o alvo. Quando Madre Teresa começou a cumprir seu propósito, os recursos vieram.

As emoções da freira estavam tão alinhadas com a prática bíblica e com os mais pobres que sua obra social, que começou com poucos voluntários e sem nenhum recurso, atingiu em pouco tempo um alto nível internacional de mídia, doações e visibilidade. A importância de seu trabalho entrou para a história da Índia e da humanidade.

> Pessoas ricas emocionalmente estão focadas no bem coletivo. Pessoas que querem ser apenas ricas financeiramente, em geral, focam em seu próprio bem-estar.

## Excelência emocional

"Excelência", segundo dicionários populares, significa:

1. qualidade do que é excelente; qualidade muito superior aos padrões gerais
2. tratamento que se confere a pessoas das camadas mais altas da hierarquia social

Essa definição chama bastante a minha atenção! Excelência é qualidade MUITO superior aos padrões comuns.

Em geral, as pessoas gritam quando estão nervosas, reagem quando são provocadas, choram quando são agredidas verbalmente, se vingam quando foram injustiçadas, perdem noites de sono quando brigam com alguém, são passíveis de ataques de pânico e vulneráveis à depressão. A maioria usa o dinheiro para tentar cobrir as dores da alma!

Excelência emocional é ter uma qualidade bem acima do "geral" nesta área.

É ter controle absoluto de suas ações, ter seus sentimentos em ordem, dominar a arte de pensar antes de falar, administrar corretamente as emoções negativas. Em suma, destacar-se em meio dessa multidão de desorientados emocionalmente.

Uma excelente vida emocional hoje em dia vale mais para a sociedade e as instituições que um excelente currículo.

Uma das maiores caraterísticas da excelência emocional é a valorização do outro, é preferirmos o companheiro, deixando o egoísmo à deriva em prol do coletivo.

Deixo uma frase de *Dave Ramsey* que trata de dinheiro e emoções ao mesmo tempo:

> Você deve obter controle total
> sobre o seu dinheiro, ou a falta dele
> governará você para sempre.

A prosperidade está muito mais conectada com o seu interior do que com a sua conta bancária. Gastar R$ 400 mil em uma festa de casamento, por exemplo, não garante um matrimônio feliz. Pois o segredo da felicidade está na mente (sentimentos e emoções). Está na forma com que você vê o mundo e se relaciona com ele, não em quanto você tem para gastar.

O dinheiro sempre será um ótimo complemento da sua prosperidade interior. Enquanto ele tiver a "patente" de servo, a felicidade estará sempre à porta.

Um jovem pescador da Galileia havia se tornado discípulo do homem que dividiria a História. Jesus estava em sua casa, em Cafarnaum, uma linda cidade israelense à beira-mar, quando Pedro entrou correndo a

## O meu modelo de dinheiro

seu encontro para dizer que os cobradores de impostos estavam na cidade e perguntavam se eles pagariam as taxas devidas.

Jesus, antecipando-se a Pedro, pergunta: "O que você acha, Simão? De quem os reis da terra cobram os tributos e os impostos? Dos que são da terra ou dos de fora?".

Simão Pedro respondeu: "Dos de fora".

Disse Jesus: "Então, os filhos estão isentos; mas, para dar a eles nenhum motivo contra nós, vá ao mar, lance o anzol, pegue o primeiro peixe que subir, e, quando lhe abrir a boca, encontrará uma moeda; tome-a, e pague o imposto por mim e por você".

Quem tem um propósito definido de vida, não se deixa guiar pelas pressões emocionais que vivemos diariamente: impostos, taxas, compras do mês, cheques a compensar, boletos atrasados, ligações de cobrança, mensalidades da escola dos filhos etc.

O Homem de Nazaré sabia que o dinheiro é complementar e precisa de um destino. Dinheiro na mão sem destino é um recurso perdido. Jesus, por exemplo, só usava o dinheiro quando tinha um propósito específico, como no exemplo citado.

O Mestre sabia que era importante aproveitar as contrariedades da vida para ensinar segurança emocional a seu grupo, pois só assim seus discípulos alcançariam segurança financeira. Aprendemos com ele que prosperidade não é ter dinheiro, e sim tudo o que você alcança para cumprir o seu propósito neste mundo. É estar com saúde financeira para ter paz emocional

Muitas pessoas querem ser ricas, mas não sabem com que finalidade. Acredito que o que faz um homem realmente feliz não é a quantidade de dinheiro que ele ganha, e sim se possui saúde financeira para ter paz emocional. E se ele tem paz emocional para ter saúde financeira. Uma coisa está conectada a outra.

Escrevo este capítulo do Japão, onde estou ministrando em uma conferência, em uma cidade próxima de Tóquio. O que mais me impacta no povo japonês é sua força para trabalhar. Eles só folgam duas ou três vezes por ano. Estabelecem uma meta de produção e um alvo financeiro anuais e realmente os alcançam.

Existe, porém, outro lado da moeda: muitos deles não possuem a tão sonhada qualidade de vida, pois ganham dinheiro, mas não possuem paz emocional, o que nos leva a constatar um altíssimo índice de suicídio neste país!

Sabemos que o amor ao dinheiro é a raiz de tudo o que há de maldade na terra. E muitos, por amarem esse papel valoroso, perderam a própria vida. Inúmeros conhecidos nossos gastaram saúde para juntar dinheiro. Agora, gastam dinheiro para recuperar a saúde.

Se posso dar um conselho, dou este: não permita que o seu modelo de dinheiro o escravize.

## O meu modelo de dinheiro

Certa vez, eu conversava com a minha mulher, lembrando de situações financeiras difíceis pelas quais passamos. Rimos de algumas cenas!

Foi aí que resolvemos listar os três momentos mais felizes da nossa vida e descobrimos que nenhum deles estava relacionado ao dinheiro.

Foi impactante perceber que tivemos muitos bons momentos com dinheiro no bolso. Viajamos o mundo, jantamos fora, curtimos a vida. Mas os momentos que fizeram diferença na nossa história não sofreram a influência de nenhuma moeda. O nascimento de um filho, por exemplo, não consegue ser emocionalmente substituído por nenhum valor financeiro nesta vida.

Portanto, independentemente do que você viveu no passado e do modelo em que foi criado, a sua felicidade não depende da sua conta bancária. Ela bem que ajuda, mas não constrói a sua vida!

O princípio de um casamento feliz
é ter a alma bem-resolvida.
Quem não tem emoções saudáveis
jamais terá um relacionamento
a dois sólido e feliz.
Quem não governa a si mesmo não
conseguirá governar um lar.

# CAPÍTULO 2

## Não deseje o que não é seu

> Existem pessoas tão pobres, tão pobres, que a única coisa que elas possuem é dinheiro.
> Autor desconhecido

Grande parte das frustrações financeiras tem relação com o desejo imoral de querer ter o que não é seu e de querer ser quem você não é. Não me refiro à ambição de ter uma vida melhor ou ter alguém como referência e exemplo de vida. Antes, à ganância e à inveja.

Conviver com pessoas de uma classe social mais elevada que a sua pode provocar inconscientemente esse sentimento. O ruim é que desejamos ter, em um dia, o que o outro provavelmente levou anos para construir. Às vezes, o contrário também acontece. O rico inveja o pobre pela paz que tem e pelo amor sincero que recebe. Paz e amor nem em euros você consegue comprar.

Há alguns anos, tornei-me amigo de um bem-sucedido construtor. A nossa amizade era muito sincera e verdadeira, mas me fazia mal. Percebi que a cada jantar ou passeio com ele, eu voltava frustrado e insatisfeito com a minha casa, com o meu carro e com a vida que tinha. A lástima é que não era um sentimento que me fazia crescer. Do tipo: "Vou batalhar, vou trabalhar com mais excelência, vou conquistar!".

Infelizmente, querido leitor, esse tipo de convivência, em geral, desperta ganância, desejos e inveja. O ser humano por si só é mau. Você não precisa ensinar uma criança a mentir nem a bater em alguém. Ela cresce com esses instintos. Está na essência da humanidade. Por isso, a nossa luta diária e eterna será para vencermos nós mesmos. Devemos ser líderes das nossas emoções e dos nossos sentimentos, para assim liderarmos outras esferas.

Segundo a filosofia ocidental moderna, independentemente do que já tenhamos conquistado, a grama do vizinho sempre será mais verde, talvez por causa desse "vazio" que o faz desejar o que não é seu.

Lá estava eu pensando em barcos, viagens suntuosas e restaurantes de luxo. E, por que não, um avião particular?

Na verdade, eu estava "vendendo o almoço para comprar a janta", mas a minha mente estava embaralhada com fantasias motivadas pela vida que os outros levavam.

Perdia noites de sono preocupado em ser alguém que eu não era... imaginando ter o que não tinha... Na verdade, quantos de nós batalhamos a vida toda para viver o sonho dos outros?

Descobrir quem você é trará o equilíbrio necessário para evitar um vazio como esse.

Decida o que você quer e saiba o que é aquilo que o completa. Só assim você não viverá a "vida" de outras pessoas. Somente dessa forma você não se esgotará tentando conquistar o que não era para ser seu. Escreva as SUAS metas, os SEUS sonhos e os SEUS alvos. Não permita que a convivência com outros mude o que você planejou para a sua vida.

Há exceções a esse conselho. Mas é raro que aconteçam. Refiro-me a quando encontramos e temos o privilégio de conviver com pessoas sábias, prudentes e experientes que nos mostram que limitamos os nossos sonhos ou desdenhamos o futuro com planos aquém das possibilidades. Tais pessoas oferecem uma amizade que libera uma nova perspectiva para a vida. Quando isso acontece, vale a pena rever o nosso planejamento. E, se preciso, adotar outro.

Acredito que cada um de nós tem uma história triste para contar, afinal não vivemos em um conto de fadas.

Mas que bom seria se cada um que superou um grande problema pudesse mentorear outros a fim de que não passassem pelo mesmo trauma e que servissem de ajuda para a superação.

Em geral, a cobiça tem como objeto o que outros conquistaram. Poucas são as pessoas criativas e capacitadas que vivem os próprios sonhos.

No entanto, somos escolhidos entre bilhões de pessoas no mundo para viver uma vida criativa e abundante.

Como sei disso?

Não é coincidência que este mapa de navegação caia justamente nas suas mãos. Agora, você tem um guia para o seu destino de paz e prosperidade.

Quanto à ambição, aprendi que ela se torna legítima quando o propósito é contribuir para o bem coletivo. Na viagem que fiz ao Japão, em agosto de 2014, conversei com um empresário em uma cidade cerca de duas horas e meia. Informava-me com ele como faria para pegar o trem-bala e ir até a capital.

Uma vez que já havia estado no Japão, pensei em me arriscar indo para a cidade sem a ajuda de um guia japonês, até porque estava com mais dois colegas de viagem. Mas esse homem perguntou: "Tiago, há quanto tempo você não vem a Tóquio?". Eu respondi: "Há uns dois anos".

Ele sorriu e replicou: "Então vá com um guia, pois a cidade mudou completamente. Ruas, terminais de trem e metrô, lojas e restaurantes... Tudo está diferente".

Curioso, perguntei: "Por que tudo mudou em tão pouco tempo?".

E ele: "As Olimpíadas, meu caro! Reformamos e estruturamos toda a cidade".

Franzindo a testa, pensativo, sussurrei: "Ué, não me lembro das Olimpíadas de Tóquio".

O amigo japonês sorriu novamente e respondeu: "Não houve Olimpíadas ainda. Ocorrerão somente em 2020. Mas já entregamos as obras. Quando se encomenda um trabalho a um japonês, ele não descansa até concluir", afirmou o empresário.

Fiquei boquiaberto. Quatro anos antes e as obras estão prontas? Aqui, no Rio de Janeiro, faltavam dias para as Olimpíadas em 2018 e tanto ainda havia para ser feito. Muito ficou apenas em promessa!

Tóquio já era uma supermetrópole e melhorou ainda mais. Esse é o tipo de ambição que vale a pena. Querer melhorar a nossa cidade para que todos desfrutem dos benefícios. Termos políticas públicas que são capazes de melhorar e dar esperança ao futuro de cada cidadão. Mas atenção: eu desejei que a minha cidade, o Rio de Janeiro, fosse reestruturada e modernizada como Tóquio, não que eu tivesse a vida desse empresário japonês ou morasse no Japão. Não mudei a minha perspectiva, mesmo estando impressionado com o país em que estava.

> A ambição pode ser coletiva.
> Já a ganância é sempre individual.

Quantas vezes fui aos Estados Unidos dar palestras e seminários e escutei as histórias de brasileiros imigrantes? Muitas. A maioria imigrou, mesmo que ilegalmente, em busca de um futuro melhor. Mas o futuro de uma pessoa não está conectado à situação econômica de um país, e sim às decisões e escolhas diárias que toma.

A mesma dificuldade que o indivíduo encontrava no Brasil encontrará na América, na Europa, ou para onde quer que vá... O problema normalmente está conosco. Com o descontrole emocional, tomamos decisões geralmente sem pedir conselhos e nos mudamos de mala e cuia para onde parece haver uma "oportunidade". As pessoas que vivem de "oportunidades" nunca encontram a "porta certa". Pois estão sempre ocupadas e distraídas com o que pareceu ser a grande chance. Que o digam alguns imigrantes!

Acredito que chegou a hora de a sua vida mudar para sempre.

Chegou o momento de se estabilizar para crescer.

Você faz o ambiente, ou o ambiente faz você?

Durante conversas, sessões de *coaching* ou em conferências mundo afora, frequentemente encontro pessoas que foram moldadas pelo ambiente em que estavam inseridas. Embora não seja a regra, é extremamente comum. Poucos são os decididos, corajosos e convictos cujo propósito é capaz de moldar um ambiente quando chegam a um lugar, não o contrário.

O exemplo clássico disso é o jovem que vira bandido por ter crescido em uma "favela" onde dominam o crime organizado e o tráfico. A força do ambiente é decisiva, o forma e lhe dá um destino.

Quando o Criador coloca o homem na terra, dá a este uma ordem direta e interessante que é relatada no livro bíblico de Gênesis: "Dominem os animais e governem a terra".

Biblicamente falando, fomos criados para governar e dominar. Não para dominar pessoas, e sim ambientes. Às pessoas, devemos servir com os dons que nos foram dados.

Por isso, quando entro em um ambiente miserável, eu não me torno um miserável. Mas procuro transformar o ambiente com o conhecimento e a prosperidade que há em mim.

Se entro em um ambiente milionário, também não me torno um milionário, mas transformo o ambiente com tudo aquilo que possuo e que o dinheiro não pode comprar.

Temos o poder de transformar ambientes!

Quando temos essa consciência, já não desejamos o que não nos pertence. Ao contrário, queremos dar aquilo que temos.

Quando resgatamos esses princípios, não saímos por aí comprando porque todos do "nosso ambiente" estão comprando. Mas governamos os nossos impulsos. A pressão do ambiente perde o efeito sobre nós.

> Se você comprar coisas que não precisa, logo terá que vender aquelas das quais realmente necessita.

O princípio das finanças equilibradas é:
ter sentimentos prósperos. Ganância, vingança, inveja e maledicência são sentimentos que destroem a alma, impossibilitando, assim, que você seja próspero em tudo.

Livre-se de todo sentimento que impede a prosperidade da sua alma e prepare-se para ter mais acesso aos recursos financeiros.

# CAPÍTULO 3

## As frustrações controlam o seu dinheiro

> O dinheiro não compra nenhuma necessidade da alma.
> — Henry Thoreau

É típico do ser humano usar a compensação para se sentir bem. Ele pensa: "Já que a minha vida sentimental está uma droga, vou comer a melhor comida que eu puder pagar hoje" ou "Já que a minha vida profissional não melhora, vou gastar o pouco que me resta em uma viagem inusitada".

Outros pensamentos comuns são: "Já que recebi um 'não' daquela pessoa, vou ao *shopping* comprar qualquer coisa em dez vezes no cartão" e "Já que fui contrariado, vou mudar de carro para provar que ninguém me controla e que eu posso fazer o que quiser".

As frustrações diárias dominam como usaremos os nossos recursos e determinam para onde irá cada centavo. É impressionante como não percebemos a vida como ela é. Estamos sempre confundidos, enganando a nós mesmos. A síndrome do "coitadismo" se normalizou entre nós. Cada um acredita que é o ser humano mais injustiçado, mais sem oportunidades e frustrado do Universo.

Na maioria das vezes, os ruídos emocionais estão ditando quem e o que somos.

Nestes dias, recebi um *e-mail* arrogante e ameaçador de um "amigo". Meu sangue ferveu. Em meio àquela guerra mental para controlar a explosão de sentimentos, tive uma ideia para fugir daquela asfixia emocional. Peguei a carteira e fui a uma loja de objetos antigos, pois fazia tempo que eu passava em frente da vitrine e admirava algumas peças decorativas. Certamente ficariam ótimas no meu escritório.

A minha mente confusa dava comandos a todo o meu corpo dizendo que aquele era o caminho para eu "esfriar a cabeça"!

Depois, já "lúcido", enquanto passava em frente da tal loja, calculei e vi que era uma maluquice comprar aqueles objetos. Eles custavam uma fortuna e eu nem sequer colecionava antiguidades. Com as emoções à flor da pele, você é tomado pelo medo, pela insegurança e pela solidão. Se tiver dinheiro na carteira ou um cartão de crédito liberado, prepare-se: você vai tentar gastá-los. Eu tentei porque estava emocionalmente "bêbado".

Entrei na loja e já não me importava se eu ia estourar o meu limite do cartão ou se ia usar do dinheiro separado para pagar uma conta de casa. Eu só queria me sentir bem e retomar aquele sentimento de segurança e aceitação. Eu queria me livrar daquele tormento de ser contrariado e agredido por alguém querido.

Foram quarenta minutos de batalha interna. Finalmente, eu me acalmei. Tomei o controle do meu eu. Não permiti ser escravizado pelos meus próprios pensamentos.

Entendi naquele instante o que escrevo neste capítulo. As minhas frustrações não podem controlar o meu dinheiro!

Determinei que não mais cederia às muitas formas de compensação para ficar momentaneamente bem comigo mesmo. Se tudo der errado, se eu for contrariado, se alguém que amo e considero me ferir, se eu receber um não, se a minha fase matrimonial, profissional ou sentimental não estiver boa, terei uma conversa com o meu eu. Vou conversar e debater comigo mesmo diante de um espelho, questionando os meus medos e inseguranças.

Pois a noite pode ser longa e cheia de choro, mas sempre existe um novo amanhecer.

O meu dinheiro não precisa ser mal gasto por causa das minhas emoções destruidoras! No caso desse meu "amigo", esperei o sangue esfriar e liguei para ele no outro dia. Pedi perdão, por mais que eu achasse que foi ele quem errou. No entanto, o que é mais importante? Ter razão ou fazer a reconciliação? Ganhar a discussão ou ter paz?

No fim, sempre perde quem não sabe perdoar e ceder. A paz é uma busca fundamental e prioritária. No final das contas, salvei a amizade e me livrei de contrair uma dívida no cartão.

## A infância

### Caso 1

As frustrações da infância são preponderantes nas decisões econômicas que tomaremos na fase adulta. Para exemplificar esse princípio, gostaria de dar alguns exemplos pessoais e de clientes que atendi como *coach*, para que a sua mente compreenda esta complexidade.

Eu e os meus dois irmãos tínhamos entre 8 e 11 anos. Eu sou o mais velho dos três. Chegara um dia muito esperado, realmente especial. A inauguração de um salão de jogos supermoderno na nossa cidade. *Video games* de última geração, fliperama e todo tipo de diversão que, naquela idade, nós simplesmente adorávamos. Marcamos com mais seis amigos e amigas para passarmos o dia juntos.

Quando o pai acordou logo cedo, deu R$ 30 para cada um de nós (o que na época era uma boa quantia para brincar nos *games*). Ficamos radiantes! Teríamos um dia perfeito...

Na fila, já com os amigos, uma menina que estava no nosso grupo e era muito admirada por nós, por ser filha de um prestigiado líder religioso, vira pra mim e pergunta:

— Quanto você trouxe para gastar com as fichas?

Eu abri um sorrisão inocente e respondi:

— R$ 30!

Ela mudou de fisionomia, parecia estar em dúvida ou incrédula e resmungou:

— Só R$ 30? O meu pai deu R$ 200 para cada uma das minhas irmãs e para mim.

Senti-me um mendigo.

Algo tão pequeno criou um enorme buraco nas minhas emoções. Episódios como este marcam a nossa infância, e crescemos com o sentimento "Agora temos que provar que temos", "Precisamos ganhar e ter mais do que os outros", "Não podemos mais sentir a vergonha de ter menos do que todos".

Eu, particularmente, decidi não ser vítima das frustrações. Com pouco ou muito dinheiro, decidi ser livre para ser feliz. Nem todos têm um guia espiritual, um mentor, um pai, um psicólogo, para orientar e aconselhar em um momento de rejeição e dor. Nem todos conseguem força para lutar contra si mesmos e reeditar essas lembranças ruins. Por isso, sei da importância de ter uma bússola que o auxilia a encontrar o caminho da sanidade e do equilíbrio.

Vamos em frente!

## *Caso 2*

Oswaldo é um riquíssimo empresário. Nunca o vi repetir um par de sapatos. Todos os seus calçados tinham as marcas mais caras e famosas do mundo.

Em todas as sessões que fazíamos, reparava como ele cruzava as pernas de forma que o sapato ficasse bem à mostra.

Não entendia por que um homem tão rico queria claramente mostrar a alguém a marca do sapato que estava usando.

Até que em um dos nossos encontros perguntei:

— Oswaldo, como foi a sua infância?

Ele respondeu:

— Muito boa. Os meus pais me ajudaram bastante, sabe... O meu velho era motorista de ônibus. A minha mãe, costureira. Ainda assim sempre lutaram para que eu tivesse oportunidades na vida — disse-me o empresário.

— Mas — insisti —, de todos os seus desejos e sonhos da infância, qual você não podia realizar na época? Dos não realizados, quais machucaram o seu coração?

Os olhos dele lacrimejaram. Percebi que algo ainda estava ali, bem escondido dentro do coração.

Oswaldo então me contou que os pais batalharam muito para ele estudar em uma boa escola e assim tentar garantir o futuro dele. Porém, nessa escola, todos usavam o tênis da moda (eu me lembrei do meu próprio caso que relato no capítulo 1 sobre o carro do meu pai). Ano após ano, o sentimento de humilhação de ser o único que não podia ter os lançamentos das grandes marcas era insuportável. E, para completar, ele estava indo para a escola com o mesmo tênis havia três anos!

Oswaldo contou-me que pensou em muitas coisas ruins para tentar adquirir aquele tênis. Para não sentir aquela vergonha estranguladora todos os dias no colégio, ele estava disposto a qualquer coisa. Mas seguiu no caminho certo. Na adolescência, foi trabalhar como frentista em um posto de gasolina para juntar dinheiro e fazer uma faculdade.

Formou-se em economia e se tornou um dos maiores consultores bancários da cidade. Ficou milionário. A partir daí, passou a "colecionar" os melhores tênis e sapatos que as lojas podem oferecer; aquele sentimento o faz ter hoje em dia uns 200 pares de sapatos importados. Mesmo tendo tudo o que queria nos dias atuais, ainda era escravo de uma frustração do passado. Gastava muito para reparar uma dor de anos atrás.

Trabalhei muito com ele sobre a importância de reconhecer onde estava o problema. Pois só podemos mudar aquilo que identificamos e reconhecemos. Quando ele se deu conta de que aquele sentimento nutrido ao longo dos anos era destrutivo, resolveu se libertar.

Foram horas, dias, meses trabalhando com Oswaldo. Mas estou orgulhoso. Hoje ele é muito mais rico por dentro do que por fora.

Ele usa menos sapatos do que antes e doa mais. Atualmente está calçando crianças carentes e de orfanatos que jamais poderiam ter um tênis bom, muito menos o da moda!

Ele usou a própria dor para nortear seu destino. Quando eu fui à Índia em missão, ele foi um dos primeiros a doar para os orfanatos de lá!

A nossa vida só tem um real valor se o nosso jeito de viver transforma a realidade dos que estão à nossa volta.

Dê sentido à sua vida e ao seu propósito de existir, vencendo as dores do passado e não aceitando ser o "coitadinho". Deseje ardentemente dar a volta por cima e tomar o controle da sua história. Saiba que, agindo assim, o seu futuro começa hoje!

Sigo torcendo muito por você!

Imagine se os nossos governantes tivessem excelência emocional e educação financeira?

Seríamos menos saqueados, extorquidos, enganados e manipulados?

Você acredita que se a nossa nação fosse educada com base nas múltiplas inteligências (emocional, financeira, política e bíblica) conseguiríamos mudar o destino da próxima geração?

Quero contar uma história.

O Brasil foi fundado debaixo de uma confusão total. A opressão portuguesa e de outros países europeus sobre os "brasileiros" era imensa. Éramos apenas uma colônia destinada à exploração. Um acidente de percurso.

O sufixo -eiro era usado para identificar profissões ou atividades. Repare: costureiro, aquele que trabalha com costura; pedreiro, que trabalha com obras; padeiro, aquele que faz pão etc.

Como é que esse sufixo virou nome gentílico no caso do Brasil? Veja: quem nasce na América é americano; na Suíça é suíço; na Itália é italiano; no Brasil, brasileiro.

Brasileiro era o nome dado aos que trabalhavam cortando o pau-brasil (árvore típica da nossa região na época). Somente no nosso país o nome que se dava a uma função de trabalho foi adotado para nomear os filhos da nação.

O livro *1822*, do historiador Laurentino Gomes, revela que a corte portuguesa não tinha nenhum interesse em transformar isso aqui em um país de verdade. Nascemos por um acidente, por falta de comunicação entre Portugal e os políticos da época.

Com isso, quero dizer que é sabido que a declaração de independência do nosso país não ocorreu de forma intencional. A maioria dos livros de História, inclusive, deixa isso bastante claro. E, como é sabido, tudo o que é feito de forma improvisada tem chances muito maiores de dar errado do que aquilo que é feito com planejamento.

Assim, se as frustrações controlam o nosso dinheiro, como podemos esperar que a economia do Brasil melhore, tendo em vista a nossa história?

A cultura de governo que se estabeleceu por aqui foi a de tirar proveito a todo custo. Não devemos criticar, e sim entender que isso é fruto de sérias frustrações passadas e que agora devemos reagir e trabalhar para transformar tal realidade.

Eu tenho muita esperança no Rio de Janeiro, a minha cidade. Tenho muita esperança no nosso país. Mas sei bem que teremos de trabalhar arduamente, investindo em tempo e fora de tempo na educação multidisciplinar e em outras áreas para que os nossos filhos e netos tenham uma nação melhor.

## As frustrações controlam o seu dinheiro

Um país que não reedita sua história, que não educa seus governantes antes de chegarem ao poder, tem poucas chances de crescimento e prosperidade.

Educar os governantes? Sim! Vamos refletir: existem os cursos de MBA para as pessoas de negócios, certo? Também, os de Teologia para pastores e padres, correto? Como, então, não temos uma escola para a política?

Qualquer pessoa pode se candidatar ao poder, sem preparo, e fazer uma tentativa de governar um país? Que lástima! Que injustiça!

Enfim, quem está disposto a pagar o preço da mudança?

O dinheiro público também sofre consequências emocionais. Quem não governa as próprias finanças não pode governar o dinheiro de uma cidade. Para cada gasto desnecessário, cada desvio de verba, cada ato de corrupção ou de omissão no governo, há alguém descontrolado por trás.

Quem se corrompe não é o sistema, mas as pessoas.

Se mudarmos o coração e a mentalidade do nosso povo e dos governantes, você verá que o sistema se adapta imediatamente.

Realmente acredito que não precisamos somente de bons projetos, mas de bons corações que executem tais projetos.

Assim, o dinheiro continua sendo emocional, seja no sistema financeiro micro, seja no macro.

O princípio para uma vida profissional feliz é ter a alma realizada. Prosperidade traz realização. Se a sua alma/mente não estiver alinhada com a sua autorrealização, você jamais terá uma vida profissional feliz. Ainda que você esteja trabalhando na melhor empresa do mundo.

# CAPÍTULO 4

## Desenhe a sua meta financeira

> O dinheiro não cria o sucesso; só dá a você a liberdade para criá-lo.
> — Nelson Mandela

Se o dinheiro está profundamente relacionado às nossas emoções, quanto mais certo você estiver do que é necessário para concretizar os seus projetos, mais garantida será a sua conquista. As emoções funcionam no âmbito da autossugestão ou também pela sugestão de outros. Isso quer dizer que, se você tem um cartaz mental do que precisa para ser feliz, o seu corpo e a sua mente trabalharão continuamente para alcançar esse objetivo, pois, sugerindo a você mesmo uma meta a ser alcançada, bem como pela influência de terceiros (como mentores, professores, pais, amigos, cônjuge), você consolida internamente um projeto.

Aprendi, por meio da inteligência bíblica, que o Criador não "dá dinheiro" para uma pessoa, e sim para um projeto que ela tenha. Os homens e mulheres da Bíblia que prosperaram conquistaram o "topo da montanha" pela causa que defendiam. Quando você tem claro qual é o seu sonho, fica mais fácil desenhar uma meta financeira. Sem um projeto, dificilmente você terá forças naturais ou ajuda "lá de cima" para conquistar o seu objetivo.

Muitos fecham os olhos e sonham em ser ricos.

"Ah! Que maravilha seria ter dinheiro para comprar tudo o que eu quero e de que preciso!"

A diferença entre quem sonha e quem realiza é ter um alvo e metas para determinado projeto. Se o seu sonho é abrir uma clínica veterinária, o seu projeto como veterinário é ter uma clínica.

Agora você precisa de um alvo e, em seguida, de metas.

## Alvo

O alvo é o público que você quer atingir, o bairro no qual você quer trabalhar, o tipo de funcionários ou parceiros que você gostaria de ter.

Os alvos são importantes para definir a essência do projeto. Isso quer dizer que, se você não tiver alvos (ou pior: alvos mal definidos), o fracasso sempre será uma opção.

Para definir o público, você precisa conhecer bem o produto que oferece e os seus consumidores.

Suponhamos que os principais consumidores de produtos veterinários sejam mulheres, com idades entre 25 e 45 anos, donas de casa, moradoras da Zona Sul e da Zona Oeste da cidade.

Desse modo, o bairro escolhido para abrir a sua clínica tem que estar nessas zonas. Os funcionários, parceiros e colaboradores devem ter o perfil que agrada a esse tipo de consumidor. A decoração, o atendimento e os serviços oferecidos também.

## Metas

As metas representam quanto você precisa faturar mensalmente. Sempre monte três cenários: o ruim, o provável e o ótimo.

Se você precisa de R$ 10 mil por mês para manter o seu projeto, faturar R$ 9 mil é péssimo; R$ 12 mil é provável; e R$ 25 mil é ótimo!

Dentro das metas estão também: tamanho do local para o projeto, quantidade de funcionários e qualidade ou marca dos fornecedores.

Somente com um projeto montado, tanto empresarial, familiar, matrimonial quanto institucional, você poderá pensar em conquistar riquezas ou o que chamo de liberdade financeira.

As suas emoções só trabalharão a seu favor se você souber o que quer.

Eu procuro tirar um dia da semana ou um fim de semana do mês para desenhar metas financeiras ou avaliar as que já atingi ou estou para atingir!

Busco alinhar a mente e o coração com a meta que desenhei. Assim, corpo, alma e espírito trabalham em prol do mesmo objetivo.

> Eu defino o que é prioridade e concluo o que é importante sem ser ameaçado pelas urgências de última hora.

Essa segurança mental, sem dúvida, é uma das garantias para chegarmos às metas, aos alvos e objetivos do nosso projeto.

O sonho pode ficar apenas na imaginação se não aprendermos a desenhar a conquista passo a passo.

Assim, é preciso entender como projetar essa conquista; é necessário definir o que é prioridade/importante e o que é urgência.

E isso é simples. Responda-me a estas perguntas: Em cinco anos, quem você deseja ser? Como você se vê num futuro próximo?

Assim que você conseguir desenvolver essa resposta, terá sua META.

Uma vez estabelecida a meta, cria-se o PLANO DE AÇÃO.

*Prioridade*, então, é tudo aquilo que está ligado a quem eu serei em cinco anos, minha meta e meu plano de ação. Se recebo uma proposta que me aproxima desse futuro, é PRIORIDADE. Por outro lado, se algum inconveniente surge, temos de analisar se isso me ajudará a chegar mais perto do futuro ou se é apenas uma distração do caminho.

Já *urgência* é tudo aquilo que acontece diariamente em sua vida e que não está ligado à sua META, tudo que não contribui para o seu futuro próximo.

Fique atento a isso!

Se depender de você, invista seu tempo somente nas prioridades.

O princípio para uma vida espiritual satisfatória é ter a alma próspera.

*A alma é o conjunto de sentimentos, emoções, intelecto e vontades que definem o meu EU.*

*Já prosperidade é tudo aquilo de que preciso para cumprir meu destino na terra.*

*Assim, alma próspera é o meu EU unido a tudo de que ele precisa para ser fiel ao seu propósito de vida: saciedade emocional, paz espiritual.*

Lembre-se de que muitos homens e mulheres considerados espirituais chegaram até mesmo a matar em nome de Deus.

Sem paz, *também nas emoções*, nunca alcançaremos uma vida espiritual coerente.

*Já vi muita gente considerada espiritual acabar mal por ter uma vida emocional desequilibrada.*

# CAPÍTULO 5

# Desfrutar do que se tem

> Você precisa conquistar as coisas
> que o dinheiro não compra;
> caso contrário, será um miserável,
> ainda que seja um milionário.
> — Augusto Cury

A primeira característica que encontro em pessoas que estão adoecendo emocional e financeiramente é: acreditar que só serão felizes quando tiverem algo que elas ainda não têm.

Elas acabam não desfrutando do que possuem hoje e vivem pelo dia seguinte.

Como *coach*, atendi pessoas que me diziam: "Ah! Quando eu comprar aquele carro! Ah, se eu tiver dinheiro para me casar com aquela pessoa...! Ah, se eu consigo financiar aquela casa de praia...! Ah, se o governo mudar o sistema econômico...! Aí, sim, serei feliz".

Quando uma pessoa está convencida de que ainda não é realizada na vida porque lhe falta comprar ou conquistar algo, identifico em segundos uma insatisfação que nada tem a ver com dinheiro.

O vazio emocional sempre buscará coisas materiais para ser preenchido; na verdade, nunca será preenchido por algo físico.

Segundo a cultura ocidental, não devemos passar por privações. Ela promove que devemos ter tudo o que queremos. Essa filosofia se instalou a tal ponto em nossa vida, família, cidade que agora queremos ter uma vida hollywoodiana, o que seria uma tragédia sem precedentes, pois nunca conseguiremos viver a vida abstrata de uma ficção.

A publicidade atual nos bombardeia com a seguinte ideia: "Gaste compulsivamente hoje", "Compre este produto que você nem precisa, mas afinal todos têm".

Mas não avisa que um futuro de escassez nos espera.

Por isso, o passo número 1 para quem deseja controlar o próprio dinheiro e nunca ser dominado por ele é: Seja feliz e agradecido com o que você tem hoje.

Isso não quer dizer que você é um conformista, que não tem ambição em melhorar de vida. Ao contrário, quero dizer que você sabe usufruir tudo que conquistou até hoje, assim como continuará usufruindo as conquistas do amanhã.

A vida é curta demais para termos apenas uma fase de deleite, alegria e usufruto. Temos de aproveitar todas as etapas da nossa vida. Não apenas as boas. Parece ilógico, mas o aprendizado sempre está nas fases ruins. As partes boas são as recompensas. Você nunca terá tais recompensas, caso realmente não tenha sido experimentado e aprovado pela vida durante os dias difíceis.

Conheci pessoas extremamente bem-sucedidas que, apesar da conta bancária impecável, estavam insatisfeitas com a vida. Escutei algumas delas dizerem que sua mansão de seis suítes não era tão boa quanto a do vizinho.

Inacreditável a que ponto pode chegar o descontentamento emocional!

> *Se as suas emoções não são saudáveis, os seus recursos jamais irão satisfazer você. Se o seu emocional não está satisfatoriamente saciado, o dinheiro nunca cumprirá esse papel.*

## Índia, uma experiência inexplicável

Como já comentei, estive no norte da Índia, um dos países mais populosos e pobres deste planeta. Estive lá por mais de uma semana visitando aldeias e vilarejos. Usava a parte da manhã para anunciar fé e esperança nos lugares ermos da cidade. À tarde, investia o tempo (junto com a equipe que estava comigo) em um orfanato de meninas que haviam sido abusadas, abandonadas e esquecidas. Um lindo trabalho que amei conhecer e para o qual pude contribuir. À noite, aproveitava para escrever parte deste livro.

Estava em uma das cidades mais miseráveis do mundo. Acredite: nada do que você já viu na vida se compara àquilo que vi e senti por lá.

O meu conceito de dinheiro foi aperfeiçoado nessa viagem.

Nunca fui tão agradecido pelo que tenho!

Ruas sujas, pessoas fazendo suas necessidades fisiológicas nas esquinas, comida sendo preparada no chão a céu aberto com todo tipo de insetos ao redor. Doenças de pele, mendigos miseráveis pelo chão. Calor de 40 graus. A água é contaminada; não existe restaurante, nem táxi; nada. É um pesadelo! Vinte e quatro horas por dia se ouvem buzinas altas e constantes. Um trânsito louco, no qual ninguém respeita ninguém. A cada trinta minutos uma mulher é estuprada.

Em um lugar como esse, ter dinheiro no bolso não quer dizer muita coisa.

No aeroporto de Calcutá, por exemplo, mesmo com alguns dólares no bolso, não consegui almoçar. No único lugar para comer algo, não se aceitava cartão de crédito nem moeda estrangeira. A casa de câmbio do aeroporto estava fechada. E, quando abriu, informaram-nos de que não aceitavam notas de 100!

Sim, fiquei desesperado. Dinheiro no bolso dá certa tranquilidade. Mas, quando descobrimos que ele não serve no lugar em que passamos privação, aí descobrimos o que realmente somos.

Você precisa ser você com ou sem dinheiro no bolso. É necessário manter-se emocionalmente estável tanto em um mundo abundante quanto em um mundo limitado.

Quer descobrir se o dinheiro é o servo ou o senhor?

Fácil. Analise se você fica alegre quando está com dinheiro ou triste quando está sem.

Houve um tempo em que mesmo que os meus filhos estivessem com saúde e sorridentes, ou mesmo que a minha linda esposa me esperasse para um jantar romântico em casa, eu me sentia infeliz se minha situação financeira não estivesse em alta. Isso é ser escravo. Ter tudo, porém, não usufruir de nada.

O dinheiro não pode controlar as suas emoções. Ele não pode ser o senhor dos seus sentimentos.

> *Aquilo que influencia o seu emocional acaba governando você.*

Quando uma pessoa está em um lugar com toda essa escassez, passa a confiar mais no transcendental do que no material. É quando a fé passa a ser uma realidade e desaparece a confiança no dinheiro.

Foi em vilarejos perdidos no interior da Índia que entendi que devemos desfrutar o que temos. Somos tão influenciados pelo que vendem os meios de comunicação ou pelo que os outros vão dizer que acabamos nos esquecendo de agradecer e desfrutar do que já conquistamos.

Às margens do famoso rio Ganges, vi os gurus do hinduísmo serem respeitados como semideuses. Um dos motivos pelos quais são tão temidos é porque vivem sem depender de nada humano, e entre essas coisas está o dinheiro.

Para quem quer governar sobre os recursos, o princípio da gratidão jamais deve ser quebrado.

Visitei vários países dos quais reclamei da comida, do hotel, do calor, da cultura etc. Mas, depois dessa experiência, todos esses lugares parecem paraísos. Aprendi que o que está ruim sempre pode piorar.

Agradeça pelo mínimo que você tem hoje e pelo que já conquistou, pois quem é feliz e contente com pouco, certamente será com muito.

Não deixe a murmuração, a reclamação e a falta de fé tomarem conta da sua mente.

Concentre-se no tanto que já é seu e foque no que pode vir no futuro.

Seja grato pelas noites de sono e de paz, pelo que se tem na conta bancária, pelo carro que você usa, pelo emprego do qual já reclamou tanto, pela saúde que o deixa empreender.

**Desfrute do hoje, pois esse é o seu treinamento para o futuro!**

O princípio de uma vida familiar notável
é construir a felicidade da alma primeiro.
Você não precisa de uma família para depois
ser feliz, mas, sim, ser feliz individualmente
para, a partir de então, fazer da sua vida
familiar o lugar mais seguro da terra.

# CAPÍTULO 6

## O dinheiro de Jesus e as emoções de Judas

> "Que adianta ao homem ganhar o mundo inteiro e perder a sua alma?"
> — Jesus Cristo

Feche os olhos e pense no maior traidor da História. Quando se fala em traição, o nome de Judas vem imediatamente à nossa memória coletiva.

Todos conhecem a história do homem que vendeu o Mestre por 30 moedas de prata. Esse era o valor que se pagava por um escravo da época em que viveu Jesus.

O confuso era que Judas administrava altas quantias de dinheiro para Jesus. A Bíblia diz que ele cuidava da bolsa com os valores doados pelos seguidores e admiradores de Cristo. Em outra passagem, lemos que mulheres de alta posição sustentavam Jesus com seus bens, e Judas era o tesoureiro de todo esse empreendimento.

Trinta moedas de prata não significavam muita coisa para ele. Depois de analisar minuciosamente, concluí que Judas não traiu Jesus por dinheiro. Além disso, não foi somente pelo que os teólogos defendem como "Satanás se apoderou dele". Afirmo isso porque Pedro também negou Jesus nesse dia terrível e, dias antes, Cristo havia declarado que Satanás estava em seu discípulo: "Para trás de mim, Satanás! Você não pensa nas coisas de Deus, mas nas dos homens" (Marcos 8.33). Essas foram as palavras do Nazareno para o discípulo Pedro.

Judas e Pedro estavam na mesma situação. Os dois traíram Jesus, os dois foram influenciados pelo "Inimigo". Mas só um se suicidou e entrou para a História como o maior traidor de todos os tempos.

Pedro, depois de negá-lo, saiu correndo chorando e entrou em um profundo processo de arrependimento. Processo este que o levou a uma reavaliação e a um reequilíbrio emocional. Judas também se arrependeu e foi até os chefes do Sinédrio devolver as 30 moedas. Mas eles se recusaram, dizendo que não podiam receber o dinheiro de volta por se tratar de sangue inocente.

Depois disso, Judas ficou ainda pior.

Ele não se lembrou dos três anos e meio de convivência com Cristo. Na verdade, esqueceu-se das misericórdias infinitas e do amor incondicional do Mestre; deletou de sua memória que a especialidade de Jesus era perdoar e dar novas oportunidades.

Trancado dentro de sua consciência ferida e culpada, tirou a própria vida.

Já Pedro perdoou a si mesmo e lembrou-se do amor do Mestre.

Ele se lembrou do Mestre do amor.

Já ressuscitado, Jesus apareceu no mar da Galileia enquanto os discípulos estavam no barco, mas João, o discípulo mais íntimo de Cristo, reconheceu-o. Em seguida, Pedro se jogou ao mar e foi a seu encontro.

O sanguíneo pescador e discípulo chega até Cristo e começa a andar abraçado com ele pela praia. Chegam a desfrutar de um tempo juntos.

Nesse dia, Jesus reedita a janela traumática de traição que estava aberta na mente de Pedro. Ele pergunta ao discípulo: " 'Simão, filho de João, você me ama mais do que estes?'. Disse ele: 'Sim, Senhor, tu sabes que te amo' " (João 21.15ss).

Jesus completa: "Cuide dos meus cordeiros".

O Mestre pergunta novamente: "Simão, filho de João, você me ama?". "Sim, Senhor, tu sabes que te amo". Ao que Jesus novamente diz: "Pastoreie as minhas ovelhas".

Como que insistindo, Cristo faz a pergunta pela terceira vez: "Simão, filho de João, você me ama?".

Pedro fica exaltado e responde: "Senhor, tu sabes todas as coisas e sabes que te amo".

Jesus fez a pergunta três vezes. A Teoria da Inteligência Multifocal (Augusto Cury, 2001) chama isso de reeditar as janelas traumáticas. Como Pedro havia negado três vezes, por três vezes Jesus insistiu em perguntar, pois sabia que assim a mente humana poderia reeditar a dor da traição do passado, substituindo-a por uma missão mais nobre no presente.

Entendeu o segredo?

O homem que negou Jesus na frente de todos no dia de sua prisão, quarenta dias depois é nomeado líder da igreja cristã pelo próprio Cristo. Já Judas não se deu a chance de ser restaurado.

O emocional fora de ordem cortou sua vida pela metade.

> *As suas emoções determinam as suas reações, e uma má reação pode acabar com as suas oportunidades para sempre.*

Muitas situações vividas, como traições, calúnias, difamação, inveja, ciúmes, conflitos e hostilidades marcaram negativamente a nossa história. Mas podemos decidir transformar o sofrimento em treinamento. Usar a dor como rota para o destino. Como é impossível apagar o passado, ao menos podemos reeditá-lo, inserindo, na nossa história, janelas saudáveis que se sobreporão às traumáticas.

Ninguém que trai, calunia, mente, entra em confusão ou maltrata outros está com as emoções em ordem.

Quando insisto em que dinheiro está vinculado ao âmbito emocional, não falo de uma nova teoria, mas, sim, de um alerta a todos de que, em geral, as pessoas conectam as nossas atitudes aos aspectos financeiros (como no caso de Judas), mas, na verdade, são os nossos sentimentos que governam as decisões que tomamos, independentemente do dinheiro que está em jogo.

Ser emocionalmente saudável é uma decisão, pois, cedo ou tarde, a pessoa doente da alma trairá alguém ou trairá a si mesmo.

Se você trair alguém um dia, poderá tentar se recuperar. Mas, se trair você mesmo, a dor será quase insuperável.

Por esse motivo, não raro vemos homens maus nos meios de comunicação de massa, desde estupradores e bandidos a políticos corruptos. Em geral, são seres humanos descontrolados, cujas emoções não têm equilíbrio.

> Então Maria pegou um frasco de nardo puro, que era um perfume caro, derramou-o sobre os pés de Jesus e os enxugou com os seus cabelos. E a casa encheu-se com a fragrância do perfume. Mas um dos seus discípulos, Judas Iscariotes, que mais tarde iria traí-lo, fez uma objeção: "Por que este perfume não foi vendido, e o dinheiro dado aos pobres? Seriam trezentos denários". Ele não falou isso por se interessar pelos pobres, mas porque era ladrão; sendo responsável pela bolsa de dinheiro, costumava tirar o que nela era colocado. (João 12.3-6)

Judas, ainda que fosse discípulo do Homem mais honesto da face da terra, era um ladrão. O dinheiro da bolsa de Jesus era fruto de doações para o empreendimento do Messias aqui na terra, mas esse seguidor que ainda o trairia mais tarde sentia-se no direito de roubar às escondidas.

Não porque precisasse, pois ele vivia com o Mestre da provisão. Nada faltava; ao contrário, sobrava. Basta conhecer a história da multiplicação dos pães e peixes (cf. João 6.9). Contudo, Judas fazia o que fazia e fez o que fez porque suas emoções estavam fora de ordem. E, quando isso acontece, queremos mais do que precisamos!

Emoções saudáveis são o primeiro passo para a verdadeira prosperidade financeira!

O princípio para uma vida fisicamente
saudável é também ter a alma próspera.
Hoje sabemos que muitas doenças que nos
destroem são frutos da má alimentação, às
vezes causada pelo desequilíbrio emocional.
Psicossomatizamos muita coisa quando
passamos por problemas. Adquirimos graves
doenças por não aprendermos a digerir
do ponto de vista mental e sentimental
determinados acontecimentos. Até para
ter saúde física você precisará ser
próspero na alma.

# CAPÍTULO 7

## Quem serve a quem?

> Aquele que acredita que o dinheiro pode fazer tudo, pode bem ser suspeito de fazer tudo por dinheiro.
> — Benjamin Franklin

Jesus, o Cristo esperado pelas gerações de Israel, disse certa vez:

"Ninguém pode servir a dois senhores; pois odiará um e amará o outro, ou se dedicará a um e desprezará o outro. Vocês não podem servir a Deus e ao Dinheiro" (Mateus 6.24).

Por esse motivo, se a pessoa serve ao dinheiro, significa que suas emoções são escravas dele. O resultado talvez seja não conquistar a liberdade financeira ou um estágio de plenitude e satisfação. O dinheiro vai para onde as suas emoções o levam.

"Que loucura!", talvez você diga.

Então, pense na última coisa que você comprou ou na qual investiu e me diga qual foi o motivo.

Perguntei isso em um seminário que realizei em São Paulo, e um homem de negócios que estava presente respondeu: "Eu comprei um Rolex".

Perguntei: "Qual foi o motivo da compra?".

Ele disse: "Foi por necessidade, pois eu tinha uma reunião muito importante esta semana com investidores e senti a necessidade de estar muito bem apresentado".

Então respondi: "Você quer dizer, na verdade, que o que fez você comprar o relógio foi a insegurança de não ser aceito ou respeitado por esses homens tão importantes da reunião, não foi?".

Ele refletiu e balançou a cabeça concordando comigo.

Pedi a ele que o admitisse com as próprias palavras, e ele disse: "Tenho muito medo de não ser aceito".

Na verdade, há marcas dez vezes mais baratas que o colocariam no nível de qualquer grande empresário. Mas as emoções desse homem imploravam por aceitação, e toda essa situação de ter que se reunir com pessoas mais bem-sucedidas e influentes gerou nele muita insegurança.

Quem sofre é o bolso. Principalmente porque, nesse caso, não se tratava de um sonho prévio de consumo. O fator realização foi inexistente nessa compra. Tratou-se apenas de uma fuga do sentimento de insegurança.

Precisamos, em caráter de urgência, saber quem está controlando quem. Quem está no comando?

O dinheiro e as emoções nos controlam ou ainda estamos no controle?

> Quem controla as suas emoções governa você!

Apenas reproduzimos o que sentimos.

## Generosidade

Um dos fatores que testificam que o dinheiro é o nosso servo, ou seja, que está sob o nosso controle, é a generosidade.

Homens e mulheres generosos não conhecem o vazio existencial. Eles sabem que dar é melhor do que receber, pois supre uma dimensão do ser humano que os teólogos denominam espírito. Dar é espiritual; receber é natural.

Você sabia que os homens mais ricos do mundo também são os maiores doadores?

Warren Buffet, o americano conhecido como o guru dos investimentos, chegou a ser o homem mais rico do mundo há alguns anos. Então, ele decidiu doar sua fortuna para uma instituição de caridade. Foi seguido pelo também americano Bill Gates, o dono e fundador da Microsoft, que também doou sua riqueza a instituições. Ambos voltaram a ser os mais ricos do mundo anos depois.

Eles descobriram que, caso não fossem generosos, não saciariam a única dimensão do ser humano que o dinheiro não influencia: o espírito, a inteligência existencial.

Ser grato pelo que se tem e generoso independentemente da quantia que possui são princípios imutáveis para ser feliz e completo. São armas que o levam a dirigir a própria vida e a não ser controlado por ela.

## Quantidade certa

A chuva é boa ou ruim? É uma bênção ou uma maldição? Bom, depende da quantidade. Se chover pouco, os rios não vão encher, a plantação pode não ser suficientemente regada, e pode faltar água em muitos lugares. Mas, se chover muito, as enchentes podem destruir cidades inteiras, os rios transbordarão e afogarão o que estiver ao redor. Tudo pode ser destruído pela força das enxurradas.

Procuro dizer que crise não é somente falta de alguma coisa. Também pode ser o excesso. Com a falta de chuva, há o risco da seca. Com o excesso de chuva, há a crise de alagamentos e deslizamentos.

E quanto ao dinheiro? Essa regra vale?

Para muitas pessoas, ter pouco dinheiro é ruim. Para outras, ter muito pode ser a causa da destruição!

Você conheceu alguma pessoa que se autodestruiu depois de enriquecer?

Por acaso, conhece a história dos ganhadores da Mega-Sena?

Já viu alguém desistir da família porque teve sucesso em algum empreendimento?

Bom, não estamos preparados nem para o pouco nem para o muito. Somos seres humanos em construção e, se não tivermos o devido treinamento, não saberemos sobreviver nem com pouco nem com muito.

## Investindo em tempo de crise

Em 2010, eu estava nos Estados Unidos conversando com um empresário de lá. A América estava passando por uma grande crise. Dois anos antes, o mercado havia quebrado. Houve uma grande crise financeira e imobiliária e muitos escândalos surgiram.

Mas esse visionário falava sobre investir em imóveis na Flórida. Eu ri (veja a minha ignorância!) e disse: "Qual o maluco que vai querer investir em um país que está quebrando?".

Ele respondeu: "Tiago, a crise é o melhor momento para investir!".

E completou: "No momento em que todos estavam comprando, eu estava juntando. Agora que todos estão vendendo por menos da metade do preço normal, eu estou comprando".

Três anos depois, o patrimônio desse homem saltou para 20 vezes mais do que em 2010.

Quando o dinheiro serve a você, você tem controle absoluto sobre ele. Portanto, mesmo que todos estejam comprando, você tem visão para saber que há o momento certo para tudo.

Há tempo de comprar e tempo de vender. Tempo de investir e tempo de guardar. Tempo de semear e tempo de colher. Tempos de paz e tempo de guerra.

> Somente com a alma próspera é possível ter equilíbrio tridimensional. Corpo, alma e espírito alinhados com o seu propósito aqui na terra. Isso é felicidade!

# CAPÍTULO 8

# Decida o que você quer

> Muitas pessoas gastam o dinheiro que não tem, para comprar o que não precisam, para impressionar pessoas das quais não gostam.
> — Sábio desconhecido

O motivo pelo qual muitas pessoas ainda não possuem saúde financeira e paz emocional é porque nunca tomaram a decisão para que isso aconteça.

O segredo é a educação.

Instrução + referência = educação.

Não basta somente fazer um curso de inteligência financeira ou emocional. É preciso ter um exemplo a seguir, alguém em quem se espelhar. O ser humano está sempre em desenvolvimento e precisa de um modelo como referência.

Há um conflito interior que não deixa a pessoa decidir se quer ser emocionalmente próspera, financeiramente organizada e capaz de contribuir para a sociedade, ou se pensa que é "pecado" ser feliz e ganhar dinheiro. Conflito este que faz pensar que é melhor continuar com as mazelas emocionais (pois afinal já nasceu assim ou a vida os tornou dessa forma) do que lutar para entrar na estrada da mudança e do consequente aperfeiçoamento.

Temos falado muito aqui que a mente controla as nossas ações e reações. Em outras palavras, o que você crê reflete no seu corpo, na sua alma e no seu espírito. Não tem jeito: você é transformado por aquilo em que acredita.

Se mentalmente você não está certo do que deseja ou para onde quer ir, haverá sempre uma confusão interior que jamais permitirá que você alcance as suas metas e os seus objetivos.

Quando eu tinha 15 anos, comecei a trabalhar de assistente de gravação em um estúdio musical. Trabalhei ali por quase quatro anos. Foi observando o meu chefe na época, Pedro, o dono do estúdio, que decidi entre os 18 e 19 anos que queria ser empresário. A liberdade de montar seus horários, de ter sempre de onde tirar o recurso, de ser admirado pelos funcionários e clientes... era isso o que eu queria!

Quando defini esse sonho e o imprimi na minha mente, nunca mais ninguém conseguiu me fazer desistir. Aos 24 anos, comecei a minha primeira empresa sem um real no bolso. Eu só tinha coragem e paixão.

Decidi o que eu queria e parti para o segundo desafio. Qual ramo seguir?

A música não era para mim. O meu talento era limitado nessa área e eu queria ser o melhor no que fazia. Foi quando aceitei passar alguns meses na Europa servindo como missionário em algumas igrejas cristãs. Acabei ficando dois anos entre idas e vindas. Aprendi muito; amadureci demais.

Quando retornei em definitivo para o Brasil, já não tinha mais dúvidas: queria ter uma agência de viagens. Era apaixonante trabalhar viajando, realizar o sonho de tantas pessoas de conhecer novos lugares. Além disso, parecia ser um negócio lucrativo e prazeroso.

Fiz cursos, especializei-me na área e, com a bênção de Deus, iniciei o projeto.

Como falo no livro *Rumo ao lugar desejado*[1] chegamos a ser uma das dez empresas mais bem-sucedidas do país no segmento de viagens à Terra Santa, Israel.

---

[1] São Paulo: Editora Vida, 2017.

Mesmo começando do zero, sem apadrinhamento, sem recursos e sem mentoria, consegui formar uma equipe, vender as primeiras ideias e conquistar os fornecedores.

Tudo é mais difícil assim. Mas nada é impossível. Eu realmente sabia o que queria.

Os recursos sempre seguirão as suas emoções. Se elas estiverem confusas e indecisas, você não saberá onde investir o dinheiro.

Acredite em mim: há dinheiro disponível para todos, mas, se não liberamos a que se destina, tudo fica travado.

## Casais que não sabem o que querem

O casamento é complexo. "Não há como entender as mulheres", afirmam os homens.

De tantos problemas que um relacionamento a dois pode ter, o dinheiro, sem dúvida, está no topo da lista.

Casais com mentalidade, objetivos e sonhos diferentes costumam recorrer ao divórcio na primeira crise financeira que enfrentam.

Depois que me casei com Jeanine, percebi que a vida seria insuportável sem ela. Quando tivemos os nossos filhos, descobri o sentimento imensurável de ter uma família e de ser o provedor dela.

As contas são simples. Todo brasileiro entende o que vou dizer. Trabalhamos quatro meses do ano só para pagar impostos. Em janeiro, temos o IPVA (do carro), matrícula da escola das crianças, férias, material escolar, entre outros. Durante o ano, temos: manutenção do veículo, prestação do carro, aluguel ou parcela do imóvel, colégio dos filhos, compras do mês, cursos extracurriculares (línguas estrangeiras, informática etc.) e várias outras prestações que cada um sabe bem do que se trata.

Em meio a tudo isso, é preciso: levar a esposa para jantar, comprar roupas novas de vez em quando, divertir-se ocasionalmente. Um cineminha, um teatro... e discutir sobre os gastos, sobre investimentos e problemas financeiros.

Se o casal não está muito alinhado, convenhamos que é muito difícil ter paz emocional e saúde financeira. Pois, por cima de tudo isso, tem uma mídia cruel e voraz que nos bombardeia para comprar até mesmo o que não precisamos.

Muitos casais têm vindo conversar comigo em busca de mentoria para situações desse tipo. Recentemente, marido e mulher vieram bem irritados para se aconselharem. O problema discutido nos dias de hoje é muito recorrente.

A esposa estava "oprimindo" (palavras do marido) o cônjuge a conseguir R$ 25 mil para uma cirurgia plástica. Ela queria fazer uma "recauchutada" geral.

O problema é que, além do marido não ter o dinheiro, ele realmente achava que ela não precisava de nada daquilo e que, sim, estava sendo influenciada pelas amigas do condomínio.

Escutei, escutei e escutei...

Já conversou com uma mulher de meia-idade decidido a "levantar o moral" dela?

Nossa! Não tinha forma de acalmá-la. Ela queria o dinheiro para operar de qualquer jeito

O marido sabia que ele não ganharia aquela batalha. E, mesmo que ganhasse, dormir no sofá seria seu destino.

Ensinei a ele que um dos segredos da inteligência emocional para casais é: "Em um casamento existem duas pessoas. Uma que está sempre certa e a outra que é o marido".

Existem regras da inteligência que não podemos quebrar! Então, propus uma reflexão sobre os reais motivos dessa "recauchutada". Ficou claro que a esposa estava emocionalmente influenciada pelas amigas que já tinham feito algum tipo de cirurgia. Ela não queria ser a diferente do grupo. Precisava de aceitação.

Sua atitude também estava relacionada à sua baixa autoestima, apesar de o marido realmente achar que ela não precisava de nenhum *upgrade*. Era ela quem se achava feia e fora da forma exigida pela sociedade moderna e pela ditadura da beleza do século XXI.

A situação financeira deles não estava boa e tinham muitas outras prioridades. Mas o emocional guiou o destino do dinheiro. Trinta e seis parcelas de muito sofrimento foram o resultado da decisão!

Não sou contra cirurgia plástica, nem contra qualquer intervenção em prol da beleza e do bem-estar. Mas, se o casal não está na mesma sintonia, as emoções inevitavelmente vão governar o relacionamento e os problemas serão uma constante. Alguns, irreparáveis.

Não podemos ser influenciados "pelo que todos estão fazendo". Porque estes certamente não pagarão as nossas contas. Temos que tomar decisões baseadas em prioridades, planejamento, concordância mútua e, é claro, decisões que estejam vinculadas ao nosso propósito de vida e realização pessoal.

Por outro lado, há pessoas que precisam passar pelo processo do erro para que possam amadurecer. Também existem aquelas que somente comprando determinada coisa ou determinado bem conseguem realização. O nosso papel é procurar compreender e ajudar cada um conforme as necessidades e as fraquezas que tem. Não devemos, em nenhuma hipótese, julgar, mas, sim, compreender!

As diferenças não são problema. Há beleza na diversidade!

> Ter alma próspera, para ser próspero em todas as áreas, é o caminho mais inteligente para chegar ao sucesso.

# CAPÍTULO 9

## Construindo a verdadeira riqueza

Será que o dinheiro é realmente importante? SIM! Eu diria.

Nunca consegui pagar as contas lá de casa de outra forma que não fosse com dinheiro.

O dinheiro dá segurança? SIM!

O texto de Eclesiastes 7.12 diz: "A sabedoria oferece proteção, como o faz o dinheiro [...]".

Com dinheiro no bolso, a sensação de que tudo vai dar certo é maior. Mas, depois de idas e vindas, vitórias empresariais e quebras financeiras, de passar pelas tempestades da vida e desfrutar do melhor da terra, concluí que:

- O dinheiro é apenas o facilitador da construção de uma verdadeira riqueza.
- O dinheiro é uma das ferramentas para a construção da casa dos sonhos.
- O dinheiro é um ingrediente importante (mas apenas um ingrediente) do bolo de aipim com coco da vida (o meu bolo preferido).

Permita-me desenhar um quadro na sua mente. Para o bolo chegar à sua mesa do café da tarde, o processo é mais ou menos este: Deus faz a parte dele e cria raízes e frutos tais como aipim e coco. Um homem com a habilidade de cultivo, rega e colhe esse presente da criação divina. Outro homem, com tino para negócios, compra desse agricultor os frutos por determinado preço e revende nas praças comerciais por outro. Uma padaria compra esses ingredientes e usa o talento do confeiteiro para dar forma e sabor ao bolo. Desesperados, nós, por uma mordida naquela obra de arte culinária, vamos à padaria e compramos tudo no preço sugerido e levamos o bolo para casa.

Veja bem. O dinheiro foi uma das ferramentas para o bolo chegar à sua mesa. Muitos outros esforços e ingredientes foram necessários para a obra ser completada. Entende?

Quando você foca só no dinheiro, acaba diminuindo aquele que criou os frutos da terra, o homem que regou e colheu, o outro que intermediou a venda e por aí vai...

A verdadeira riqueza não é construída com dinheiro, mas com a caixa de ferramentas que você usa para obtê-la. Você tem uma caixa de ferramentas?

A riqueza nunca é o dinheiro, mas o dinheiro é uma ferramenta facilitadora da riqueza.

No meu caso, nada é mais valioso para mim do que a minha família. Logo, uma das riquezas que tenho são os meus filhos e Jeanine, a minha esposa.

Contudo, sem dinheiro, que é a ferramenta facilitadora, não poderíamos fazer as sessões de cineminha em casa acompanhadas de pipoca com manteiga. Teríamos sérios limites para o plano anual de férias que fazemos. Não conseguiríamos pagar a boa escola das crianças, e eu, como pai, me sentiria frustrado.

Por tudo isso, ter dinheiro não é ser rico. Ter dinheiro é ter uma importante ferramenta para construir a riqueza.

Nas minhas viagens missionárias pela Ásia, conheci um pastor que morava naquela região servindo aos mais pobres e aos excluídos da sociedade.

Em uma das nossas conversas, ele me disse que o amor era o ingrediente principal para ajudar aquela gente. Mas que sem dinheiro ele não teria como provar isso. A riqueza daquele homem era amar os menos favorecidos, mas sem dinheiro ele estaria limitado em sua expressão de amor.

É meio escandaloso ler isso. Eu sei. Falar de dinheiro sempre será um paradigma. O subtítulo deste livro revela muito sobre o que acredito: Saúde emocional para ter paz financeira.

Se você não puser em ordem as suas prioridades, algo que é fruto da inteligência emocional adquirida ao longo da vida, achará que o dinheiro é o fim pelo qual vivemos e trabalhamos.

Na verdade, ele é apenas uma placa de sinalização nesta estrada da nossa existência. Esse sinal indica aonde podemos ir e onde não devemos entrar por enquanto. Por isso a fé é importante, pois ela é o guarda de trânsito que nos manda avançar, mesmo quando o semáforo está vermelho.

Definitivamente, acredito na inteligência financeira. Comprar somente o planejado, gastar menos do que se ganha, investir para o futuro etc.

Mas como sou a terceira geração de pastores da minha casa, já vi diversas vezes esse "guarda de trânsito", que é a fé, mandar o meu pai, por exemplo, avançar um sinal vermelho.

Com fé, nada é impossível.

Mas não confunda as coisas. Em geral, a inteligência faz o possível e a fé entra em ação quando o caos se instala ou quando o impossível aparece em cena.

Afirmo isso por acreditar que a fé é responsável por resolver as coisas de formas consideradas extraordinárias aos olhos humanos. Mas a verdade é que, no dia a dia, temos de usar mais a inteligência do que a fé. Observe: a fé só entra em ação quando não podemos fazer mais nada. Assim, com inteligência planejamos e com fé executamos.

Em suma, eu decidi construir a minha riqueza usando a fé como alicerce, o dinheiro como britadeira, a minha rede de relacionamentos como serrote, o conhecimento como cimento... Não podemos nos apegar às ferramentas que foram usadas para construir o nosso lar. Devemos focar no que realmente tem valor.

Ladrão nenhum pode roubar a verdadeira riqueza. Anote isso!

Eu estava em um megaevento internacional, dando uma palestra sobre *coaching* e múltiplas inteligências, quando uma senhora aproximou-se e disparou: "Tiago, qual é a verdadeira riqueza para você?".

Embora eu tivesse pouco tempo para conversar, em razão da agitação pós-palestra (autógrafo de livros, fotos com os convidados e toda aquela correria para sair do local do evento), olhei dentro dos olhos daquela senhora e respondi: "Faça uma lista das suas verdadeiras riquezas". As minhas são: a família, o conhecimento, os amigos e a conexão com Deus.

Essas são as quatro coisas nas quais invisto todo recurso disponível para mantê-las e ampliá-las.

Ela insistiu: "Dinheiro não é riqueza?". Repliquei: "Dinheiro é o facilitador das riquezas".

Querido leitor, é por causa do dinheiro que posso passar muitas manhãs em casa, aproveitando o melhor momento do dia com os meus três filhos.

Como alcancei independência financeira (para isso, leia meu livro *Rumo ao lugar desejado*), não preciso sair desesperado trabalhando para pagar contas. Eu desfruto das minhas riquezas, como a família, porque o dinheiro facilitou isso pra mim.

Não sejamos hipócritas!

Não devemos amar o dinheiro.

Não se pode amar mais a ferramenta de construção do que a casa que foi construída.

Mas, sim, o dinheiro deve ser conquistado e bem administrado para que você possa usufruir do seu propósito de vida e principalmente desfrutar das recompensas que isso traz.

Gostaria de dar uma dica: faça uma lista das suas verdadeiras riquezas. Anote como o dinheiro pode facilitar cada uma delas. Depois disso, defina a quantidade de recursos financeiros que serão necessários para que tudo isso se cumpra.

Com metas estabelecidas, as batalhas do dia a dia ganham sentido!

Muitas pessoas querem TER dinheiro, mas a pergunta certa seria: PARA QUÊ você quer dinheiro?

Tenha isso bem claro, e os recursos virão até você.

Isso funciona da seguinte forma: muitos querem TER dinheiro, pois na verdade estão pensando no que ele pode trazer: conforto, casa própria, viagens, amigos, um bom hospital caso precise etc. O dinheiro, porém, é um deus falso, pois vende a ideia de que somente ele resolve os problemas anteriormente indicados. Na verdade, outras moedas conseguem exatamente o mesmo.

Com fé, consigo uma casa própria sem usar dinheiro; com amor, consigo amigos; com a *networking* certa, posso viajar o mundo sem gastar um centavo; trabalhando para uma boa empresa, o melhor plano de saúde fica à minha disposição.

Na verdade, sempre tem a ver com pessoas! Dinheiro é só papel.

# CAPÍTULO 10

## Mais planejamento e menos misticismo

> Ao homem pertencem os planos do coração, mas do Senhor vem a resposta da língua.
> — Provérbios 16.1

Muita gente tem esperado uma resposta divina para a vida. Mas a sabedoria milenar é clara:

> Se não há planos,
> não há respostas.

O ser humano, em geral, se apega a misticismos quando se trata de dinheiro e riquezas. Mas a verdade é que os bem-sucedidos traçaram planos para chegar aonde chegaram. Eles não contaram com as crendices populares. Veja o que acontece no mês de dezembro. Todos começam a sonhar que o ano novo será bem melhor que o que está ficando para trás.

Fazemos uma série de coisas que revelam que, como pessoas, acreditamos mais em superstições e misticismo do que em planejamento. Usamos roupa branca para atrair a paz e amarelo para chamar a atenção do dinheiro. Temos pensamentos positivos e fazemos declarações em voz alta: Vai dar tudo certo... No próximo ano, será tudo diferente... Será o melhor ano da minha vida...

Oramos para que o ano que entra seja abençoado! Mas a realidade é que a colheita do ano seguinte respeita o plantio do ano anterior.

Logo, não se trata de acreditar que vai melhorar, e sim de plantar as sementes que vão gerar as árvores que queremos ter na vida. Ah, se pensamento positivo mudasse o nosso destino!

Infelizmente são as rotas que determinam os destinos dos voos. Falando nisso, nessas intermináveis viagens que faço pelo mundo, certa vez conversei com um piloto de uma grande companhia aérea internacional enquanto esperava pelo meu voo.

Perguntei-lhe sobre a complexidade do painel de controle de um avião e como era sensacional a ideia de pilotar algo tão pesado e gigante. Foi então que perguntei a ele qual era a coisa mais importante de um voo. Afinal, na Fórmula 1, precisa-se de um excelente piloto e de um carro melhor ainda.

"Mas na aviação é diferente", disse ele. "A qualidade do piloto e a modernidade da aeronave não servem de nada se não existe um PLANO DE VOO."

Um piloto com trinta anos de experiência não consegue sair do aeroporto de origem, por mais que faça parte de sua rotina, e chegar, por intuição ou prática, a outro aeroporto. "Não existe sinalização nas nuvens", disse o piloto.

Entendi claramente que o planejamento vale mais que as superstições ou crendices populares.

## O plano emocional

Os maiores problemas que enfrentei não foram no período de quebras financeiras, mas quando havia fartura. As maiores resistências também. Sim, leitor, o homem não é provado quando está mal, e sim quando está melhor do que se imaginava.

Em Provérbios 27.21, lemos: "O crisol é para a prata e o forno é para o ouro, mas o que prova o homem são os elogios que recebe".

Quem não tem um plano emocional para desfrutar do dinheiro e da riqueza cairá nas mais simples armadilhas do sucesso. Orgulho, altivez, adultério, inimizades e coisas semelhantes a essas. Como já falamos anteriormente, quem não tiver o passado emocional resolvido e reeditado, com dinheiro na mão irá enlouquecer.

Sim, o dinheiro dá poder de execução. Quero algo, vou lá e faço.

Mas sem um plano, uma rota emocional, tudo irá por água abaixo.

Uma vida emocional saudável é a base de um sucesso financeiro real.

As emoções sobrepõem o mais bem desenhado mapa do tesouro e borram os caminhos indicados ali. Quando as emoções estão fora de ordem, nada tem sentido. Tudo fica confuso.

As propostas que me levariam à perdição não vieram quando eu estava em crise, mas quando eu estava prosperando. As pessoas de má índole que iriam corromper os meus bons costumes não se aproximaram quando eu devia para o mundo todo, mas quando eu investia e multiplicava os meus recursos.

O orgulho e a independência interpessoal não bateram na porta do meu coração quando eu tinha R$ 20,00 para passar o fim de semana, mas quando eu já não precisava olhar o lado direito do menu de um restaurante.

Entende?

Se sonhamos com riquezas, se queremos ser grandes, se prosperar financeiramente é o nosso destino, então siga este valioso conselho:

**Trace o seu plano emocional.**

Para ajudar você a iniciar o seu plano emocional, mostro agora um exemplo que você pode seguir ou adaptar, de acordo com a sua experiência de vida.

**Exemplo de PLANO EMOCIONAL:**

1. Perdoar quem me feriu.
2. Reeditar o passado por meio de acompanhamento psicológico dos meus traumas e lembranças dolorosas.
3. Mapear meus gatilhos mentais (ou seja, aqueles estalos na mente quando ouço algo ou vejo alguém e minhas emoções se transformam imediatamente).
4. Quem preciso procurar para reconciliar-me e, assim, manter a paz?
5. Como me tornar "inofendível" diante do que ainda está por vir?

Sem ele, dificilmente você subsistirá às dificuldades de estar no topo da montanha. Para chegar ao lugar da riqueza, você terá que passar pela estrada das perdas, das frustrações e da dor. Terá inimigos pelo caminho e oposição de pessoas próximas. Você ficará surpreso ao descobrir que ser rico ofende e muito as pessoas que não o são. Elas farão de tudo para atrapalhar a sua jornada.

Sem um plano emocional, você chegará tão ferido ao lugar desejado que nem conseguirá celebrar a conquista.

"Acima de tudo, guarde o seu coração, pois dele depende toda a sua vida." (Provérbios 4.23)

## O plano financeiro

Não seja ingênuo. Mandinga e misticismo não criam riqueza; ninguém faz dinheiro com pensamento positivo apenas. Mas, com planejamento financeiro, sim. Isso, sim, dá resultado, se atrelado a uma fé inabalável.

O primeiro milhão de reais que fiz na vida foi seguindo este MAPA:

1. Criar fontes múltiplas de entradas financeiras.

Veja o meu exemplo. Eu ministrava cursos de *coaching* pelo Instituto Destiny; escrevia livros e os vendia em nossos eventos; dava palestras temáticas por todo o Brasil; criei o CID (Clube de Inteligência e Desenvolvimento), uma escola de vida financeira e emocional em uma plataforma *on-line*; abrimos a Destiny Store. Uma loja *on-line* de produtos com os conteúdos que ministramos, tais como: Pendrives, Dvds, camisas com nossas frases etc.

2. Ter prazeres bem menores que as entradas financeiras.

Se minha entrada é de R$ 2.000, mas meus prazeres (o que é verdadeiro no meu caso) são comer pipoca vendo filme e tomar bons cafés, vou gastar 5% de minha renda mensal com os "prazeres".

Mas antes não era assim. Eu precisava viajar, jantar em restaurantes caros, comprar carros que chamavam a atenção, isso apenas para sentir-me bem.

Quando você muda seu prazer, muda seus resultados financeiros.

3. Não comprar nada por emoção. Comprar porque preciso, não porque quero.

Escrevo este texto justamente em um dos polos mundiais de compras para brasileiros: Orlando, na Flórida.

Aqui é um bom lugar para se deter diante de uma vitrine com os cartazes gigantes "TUDO por 50% do preço". Isso leva-o a perguntar a si mesmo: Mas eu preciso disso? Minha esposa e eu reduzimos muito nossos gastos com o desnecessário usando essas perguntas a cada compra. Compramos somente aquilo de que precisamos!

4. Permitir que o dinheiro trabalhe para mim.

Este ponto é um segredo de riqueza (penso em um dia escrever um livro sobre os verdadeiros segredos da riqueza).

Enquanto você trabalha para você, sempre será pobre ou classe média.

Quando outros trabalham para você, um dia você poderá ser rico!

Mas quando o dinheiro trabalha para você... UAU... esse é o segredo.

## INVESTIMENTO!

Não gasto minhas entradas para cobrir os "buracos da alma"; simplesmente invisto naquilo que me dá retorno, que faz o dinheiro trabalhar para mim.

É importante você saber que isso não é fácil. Cada investimento tem uma característica e um risco. Então, encontre aquele que deixa você mais confortável. Encontre um que você realmente entenda como funciona para que ele se torne multiplicador do recurso.

Domine essa área. Ande com pessoas que entendam disso. Contrate um consultor para o auxiliar nas tomadas de decisões.

Esse plano financeiro funcionou para mim!

Criei múltiplas atividades, todas alinhadas com o meu propósito de vida, que rendia entradas significativas de dinheiro. Fiz uma lista de todas as minhas habilidades e criei produtos com cada uma delas.

Eu falava bem em público; então, criei uma série de palestras.

Eu tinha sensibilidade e paciência para escrever; então, comecei a registrar tudo isso em forma de livros.

Eu tinha um mestrado em *coaching*; então, comecei a dar cursos sobre o tema.

Por aí vai...

Quando você usa as suas habilidades e o seu conhecimento para resolver o problema de outros, o seu negócio é um forte candidato a ser referência e atrair riquezas automaticamente.

Sabendo que todo homem precisa gastar com *hobbies* e prazeres, não deixei que as minhas emoções fossem por esse caminho; em lugar disso, decidi que café e cinema com pipoca seriam os meus prazeres.

Veja só: juntos, os meus prazeres não somam nem 2% da minha entrada financeira.

Quem não tem domínio próprio (inteligência emocional) e não possui um plano financeiro, gasta em prazeres caros e vazios. Como a família é uma das minhas riquezas, construí uma sala de vídeo em casa, onde desfrutamos juntos de filmes e séries, com conforto e qualidade.

Também construí em casa uma cafeteria, onde recebo amigos, leio livros e desfruto da minha bebida preferida.

Se as suas saídas forem bem menores que as entradas, você estará rumo ao sucesso financeiro.

Tenho amigos que só conseguem sentir-se bem indo a restaurantes caros, fazendo viagens exóticas e participando de eventos chiques e badalados.

Eu escolhi o que me dá prazer. E tanto o café quanto a pipoca não têm custo elevado. Desse modo, tenho chances de continuar multiplicando riqueza.

## O plano espiritual

O meu pai me ensinou que dinheiro é algo altamente espiritual também.

O comandante (papai é chamado assim por causa de sua carreira militar) tinha razão.

Uma grande empresa que se destacou no nosso país na última década, afirmou através de seu CEO que o crescimento explosivo da organização se dera por causa de um fator espiritual.

A diretoria decidiu que, a cada produto vendido, três pratos de comida seriam entregues aos pobres. Em segredo, contribuíram com os necessitados e sem saber alinharam-se com o poderoso princípio espiritual de COMPARTILHAR.

Compartilhar é o segredo da felicidade; é a chave que abre a porta da prosperidade.

Tudo que Deus confiou a você deve ser compartilhado.

No caso do conhecimento, o pouco que você sabe é muito para quem não sabe nada. Sempre tem alguém que tem menos que você, que sabe menos que você.

Aqui se aplica este princípio milenar e imutável: Compartilhe com aqueles que não têm.

O plano espiritual resume-se em acreditar que Deus quer que todos cheguem ao conhecimento, que todos tenham vida em abundância e que ele usará quem tem mais e sabe mais, para facilitar a vida dos que ainda procuram respostas.

Ele pode contar com você?

# CONCLUSÃO

Se a forma de o ser humano interpretar, administrar o dinheiro e lidar com ele é emocional, o que falta para você buscar saúde nesta área hoje mesmo? Por que não pagar o preço da liberdade emocional, para que, de uma vez por todas, possa desfrutar da prosperidade financeira?

O que o impede de ter o fruto do Espírito (Gálatas 5.22) que é: domínio próprio, mansidão, paciência, amor, alegria, bondade e fé?

Isso tudo é a chave para ter paz nas finanças.

Por que correr atrás do vento se você pode ir direto ao pote de ouro? Como *coach*, mentor do Clube de Inteligência e guia espiritual, procuro ensinar as pessoas sobre o valor real do dinheiro. Procuro treiná-las para uma vida financeira saudável. Mas sabe o que descobri? Não adianta "dar pérolas aos porcos", como diz as Escrituras.

Já investi tempo em transferir conhecimento para quem não queria. Os resultados foram catastróficos. No mínimo, saí ferido pelo tempo que gastei em vão. E isso dói quando somos pessoas produtivas.

Concluo esta obra com alguns conselhos, pois creio que eles têm sua importância e lugar.

## Conselho 1

Procure um especialista na área emocional e peça um diagnóstico.

Vá a um psiquiatra, faça terapia com um bom profissional da psicologia e tente entender que tipo de problemas emocionais você tem.

A autoavaliação é importante, mas, quando se trata de diagnosticar as emoções e a psique, confie somente em um bom profissional da área. Tendo alguma anormalidade, por exemplo: transtorno obsessivo-compulsivo, transtorno bipolar, trauma de infância, um complexo de inferioridade, rejeição, amargura ou qualquer outro indicativo, foque na reedição desse problema.

Os problemas não existem para ser administrados, e sim RESOLVIDOS! Um problema não resolvido hoje, vira um gigante amanhã.

CONCLUSÃO

Explique ao profissional que o atender que você decidiu ser próspero em TUDO e que começará essa evolução pondo em ordem as suas emoções.

## Conselho 2

Encontre pessoas equilibradas emocionalmente e financeiramente e "cole" nelas. Não desgrude! Em geral, somos a média das pessoas com as quais convivemos, e é impossível andar com gente equilibrada e estar "fora do eixo". É claro que não é fácil identificar e principalmente conviver com essas pessoas. Quem está equilibrado na vida, quer distância dos desajeitados.

Mas a regra de ouro é:

>Comporte-se de tal forma
>que quem está na "roda de cima"
>o queira puxar para lá.

Não aprendi a administrar e multiplicar dinheiro fazendo uma faculdade, mas convivendo com especialistas. Esse "caminhar" com quem sabe vale mais do que anos de vida acadêmica. Principalmente quando se trata de finanças. Ou seja, quer dizer que todo contador, matemático ou consultor financeiro é rico e livre de dívidas?

O aprendizado por meio da observação e da convivência é valiosíssimo. Eu sou a prova de que esse tipo de educação pode transformar a vida financeira de alguém.

## Conselho 3

Viva por um propósito!

Quem não morreria pelo que acredita, também não deveria viver por isso.

Como ensino no livro *12 dias para atualizar sua vida*,[1] descobrir a sua ideia central permanente, ou seja, o seu propósito, desencadeará todo o crescimento multifocal da sua vida.

Quando sei quem sou, para onde vou, por que faço o que faço e qual é a ideia central ao longo da minha vida, escolho melhor quem anda comigo, onde invisto os meus recursos, que tipo de proposta aceito e quais declino.

Não se pode ter paz financeira fazendo dinheiro fora do que você nasceu para fazer. Muitos empresários me procuram para sessões de *coaching* e dizem: "Tenho dinheiro, mas não sinto realização".

Sempre respondo com a mesma pergunta: "Você está fazendo o que nasceu para fazer?".

Eu, por exemplo, só conheci a verdadeira prosperidade quando comecei a empreender a minha ICP (Ideia Central Permanente), que é treinar pessoas.

Nunca desfrutei de tamanha paz financeira até então!

[1] São Paulo: Editora Vida, 2017.

## Conselho 4

Não confunda dinheiro com prosperidade! Dinheiro é papel-moeda. Prosperidade é ter tudo que você precisa para cumprir o seu propósito de vida.

No meu caso, tenho família, amigos, conexão com Deus e uma ICP (Ideia Central Permanente). Com isso, sou uma pessoa próspera. O dinheiro é uma consequência inevitável da integração das riquezas mencionadas.

Vi muitas pessoas correrem a vida toda atrás de dinheiro e nunca alcançarem a prosperidade. Talvez o papel-moeda estivesse na conta bancária, mas não existia paz para viver e desfrutar dos benefícios gerados pelo dinheiro.

Sem paz é impossível empreender vida. Mais do que dinheiro, o ser humano precisa ser próspero. Ele deve reconhecer o que tem em suas mãos, valorizar e agradecer por isso.

## Último conselho

Quem tem inteligência emocional e espiritual, sabe que Deus escolhe administradores de suas riquezas aqui na terra. Quem guarda o coração, não permite que as dores da vida definam sua forma de ver e gastar dinheiro.

Veja o caso de José do Egito. Foi traído e vendido pelos próprios irmãos. Geralmente, quem trai são os íntimos.

Aqueles que comem à mesa conosco. Prepare-se para isso; não acontece apenas com você. Tal comportamento é repetitivo e histórico.

Mesmo assim, José não deixou as emoções sobrepujarem seu propósito de vida que era alimentar uma geração. Ele entendeu que era o escolhido de Deus para administrar as riquezas do Pai em sua geração.

Existem coisas que são para você, e outras Deus confia a você para administrá-las a fim de que uma geração inteira seja beneficiada. Quem domina os próprios impulsos, comportamentos e sentimentos não gasta o que não é seu; antes, cuida muito bem e o administra com fidelidade.

# AGRADECIMENTOS

Os meus melhores professores sobre dinheiro foram os problemas da vida.

Entendi que quem realmente controla o dinheiro de uma pessoa são as emoções. É provável que nenhum MBA me preparasse tanto como as adversidades desta vida me prepararam. A cada uma delas, o meu muito obrigado!

Aos meus pais, Dario e Fani, meus tutores, amigos e, acima de tudo, pastores da alma.

À Jeanine, a mulher que deu sentido à minha vida e que me orienta a cada dia. Aplicando doses de sabedoria e paciência em mim, ela me torna um homem melhor. Uma vez imaginei a minha vida sem você, Nine, e percebi que seria apenas escuridão. Mais de uma década já se passou desde aquele sim no altar, e eu ainda escolho você!

Aos meus filhos, Julia José e Joaquim. Prometo fazer de vocês os meus sucessores, não apenas herdeiros. Amo vocês com toda a força do meu coração. Juju, fazer você dormir contando histórias e ter que responder às suas perguntas inteligentes tarde da noite é o que me enche de felicidade e realização. Zé, você bagunçou totalmente a vida do papai, mas por causa disso pus ordem no meu coração. Kim... você chegou há pouco tempo e revelou a todos que existia uma fotocópia minha lá no céu. Prometo ser o maior educador que vocês poderiam ter nesta vida.

À equipe do Instituto Destiny e a todos que se juntam a nós na Casa de Destino.

Vamos continuar trabalhando para salvar o Brasil através da educação bíblica, financeira e emocional.

Tiago Brunet

Saiba sobre Tiago Brunet em:

www.clubedeinteligencia.com.br

Seja um aluno do CID!

www.institutodestiny.com.br

Conheça nossos cursos e todo nosso material.

# LEIA TAMBÉM...

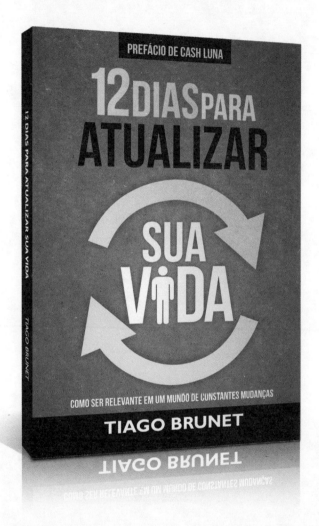

Este livro é fruto da experiência adquirida pelo autor em mais de 2 mil horas de atendimento individual em sessões de *coaching* e em palestras proferidas em diversos países. De forma simples, direta e sem segredos este livro dará um *upgrade* em sua vida.

Esta obra foi composta em *Arno Pro*
e impressa por Gráfica Piffer Print sobre papel
*Polen Bold* 90 g/m² para Editora Vida.